I believe in

the power of

the imagination

to remake

the world.

J.G. BALLARD

# 未来の「奇縁」はヴァースを超えて

「出会い」と「コラボレーション」の未来をSFプロトタイピング

# FUTURE SERENDIPITY BEYOND THE VERSE.

SF Prototyping the Future of "Encounters" and "Collaboration"

藤井太洋　高山羽根子　倉田タカシ　Sansan株式会社
WIRED Sci-Fiプロトタイピング研究所［著］

TEXT BY TOMONARI COTANI

# Prologue

つまるところ「SFプロトタイピング」とは
既成概念(バイアス)に揺さぶりをかける行為——。

ロボット【Robot】という言葉を耳にしたとき、みなさんは、とっさにどのような造形を思い浮かべるでしょうか。おそらく日本の文化圏で育った方ならば、(サイズ感はともかく)人型を想像するケースが少なくないのでは……と推察します。とりわけ「人が搭乗するタイプ」のロボットは、過去半世紀にわたって数多くのアニメ——それこそ『マジンガーZ』から『機動戦士ガンダム 水星の魔女』に至るまで——に登場し、広い世代の深層心理に何かしらの影響を及ぼしている可能性があります。

そうした文化を受け継ぎ、突き詰めたクリエイターたちの才能(とフェティシズム)から、今後も無二のストーリーやデザインが生まれてくることには期待しかありません。その一方で、産業用ロボットの世界シェアに比べると、商用ロボットの分野において、日本はなかなか存在感を発揮できていないのが実状です。史上最も売れた商用ロボットは掃除機のルンバであり、今後は1位の座をドローン(DJI製?)と競い合うことになるはずです。つまり、物理世界においてニーズが高いロボットとは、現状、鉄腕(人型)でも汎用人型決戦兵器(搭乗タイプ)でもないわけです。SF第一世代と呼ばれるフランスの小説家ジュール・ヴェルヌは「人間が想像できることは、人間が必ず実現できる」という名パンチラインを残しましたが、「人とロボットの在り方」という点において、日本はその文化的な豊潤さがかえって「想像力を妨げる既成概念（バイアス）」の醸成につながっているのかもしれません。

ロボットという言葉を生み出したのは、チェコの作家カレル・チャペックでした。戯曲『R.U.R.』(ロッサム・ユニバーサル・ロボット)においてチャペックは、ロボットをその語源——封建時代の農奴を意味する古いチェコ語【Robota】とスロバキア語で労働者を意味する【robotnik】——のごとく、「見た目は人間に似ているものの、感情をもたない存在」「必要最小限の資格だけをもつ労働者」として登場させます。やがてロボットたちは人間に対して反乱を企てるものの、最終的に苦痛や愛といった感情を獲得することで、単なる機械から労働を行なう亜人類的存在へと変貌を遂げ、社会を新たな段階へといざないます（お察しの通り、現代の視点から見るとやや陳腐な印象ですが、『ブレードランナー』や『AKIRA』がそうであるように、飛び抜けたオリジネーターは常に研究・引用・模倣されるため、「通時性」が考慮されない状況下ではどうしても並列化／陳腐化してしまいます）。

チャペックが『R.U.R.』を発表した1920年からおよそ100年――。この先、もしメタヴァースが想定通りに（あるいは想定以上に）進歩し、ヴァーチャル空間でのコミュニケーションや経済行為が当たり前のようになったとしたら、「ロボット」に代わって「人工知能（AI）＋アヴァター」が、「拡張した自分（≒分人）のごとき存在」として仕事やコミュニケーションを代替していく可能性は、決して低くありません。あるいは、物理世界にデジタル情報が折り重なった「ミラーワールド」（≒空間コンピューティング）化が進み、物理世界の情報や状態がリアルタイムで分析・可視化されたとしたら、AIエージェントも含めたコミュニケーションの方法、さらにはプライバシーやセキュリティ等について、新たな視点やプロトコルで考えていくことが不可欠になってくるでしょう。

つまり、「人」と「人」、あるいは「人」と「人ならざる者」、もしくは「人ならざる者同士」が物理現実と仮想現実をシームレスに行き交いつつ、どのような出会い方をどの程度の頻度で発生させ、そこからどのような価値を創造していくのかについて、考え始めても遅くはないタイミングに来ているわけです。

そうした社会の様相を（バイアスに陥らないためにも）多元的に空想し、「来たるべき時」に向けてさまざまな角度からアプローチできるマインドセットを涵養するべく、Sansan株式会社とWIRED Sci-Fiプロトタイピング研究所は、2022年のほぼ1年をかけて「SF

プロトタイピング」を行ないました。Sansanは、おなじみの名刺管理をはじめ、さまざまなアプローチによって、働き方の変革、営業力やガバナンスの強化、マーケティングなど、「企業のDX」を後押しするITカンパニー。WIRED Sci-Fiプロトタイピング研究所は、『WIRED』日本版とクリエイティヴ集団「PARTY」が共同で主宰するプロジェクトになります（WIRED Sci-Fiプロトタイピング研究所が考える「SFプロトタイピング」の概要については、別項にて解説します）。

本書は、ワークショップを通じて生まれた4編のスペキュラティヴ・フィクション（執筆者は藤井太洋さん、高山羽根子さん、倉田タカシさんという3名のSF作家と、Sansan執行役員／CBO／CIOの田邉 泰さん）、さらには「どのようなワークショップを行ない、そこで何が議論されたのか」を綴ったノンフィクションパート、そして、ワークショップで実際に使用したメソッドやフレームワークをより汎用性のあるかたちにチューニングしたワークシートで構成されています。

パラパラと通読していただけると、「ビジネスに『if／もしも』を掛け合わせてみることで、既成概念（バイアス）を取り除くことへとつながり、それによって『ありうる未来』が高い解像度で浮かび上がってくる」という、SFプロトタイピングのひとつの妙味を追体験していただけると思います。さらには、「SFプロトタイピングの価値は、答えを出すことではなく疑問を提示することにある」という点にも、ご納得いただけるのではないかと思います。

まずは、マンガ家／イラストレーター・北村みなみさんによる「未来の出会い方、未来のコラボレーション」をモチーフにした描き下ろしマンガからお楽しみください。

WIRED Sci-Fiプロトタイピング研究所所長

小谷知也

# Index

条件設定
業務内容 ブックデザイン補助 とりあえず 今日から3カ月
経験値より 相性重視で… っと
オブ・ザ
ワールド
さーて
今回はどんな 出会いが あるかな

該当人材
23人…
・希望
日本人で
男性…
2歳年下か
MATCHING
ピ
なんとなく
まずはこの人に
アタックしよ
CONGRATULATION
お 早速
マッチング
成立！

ピピピ..

山井です
よろしく
神谷…です
よろしく
お願いします
あ
あの
本当に本の
デザイン業務
なんですか？
？
そうだけど
はぁ…
誰でもできる
オペレーション作業
なんだけどなぁ
…すごい
夢みたいだ
ありがとう
ございます

じゃ 早速だけど
この文章の
流し込みを…

俺はフリーの
デザイナー

「WorkA-stral」
というサーヴィスを使い
案件ごとにDAOをつくり
アシスタントを
募っている

お相手はなんと
登録者本人ではなく

Original

登録者を模した
AIアヴァターだ

本人に
代わって

VIRTUAL

PHYSICAL

アヴァターが
メタヴァース上で
誰かの仕事を手伝う

能力は本人の
5割程度だが

何もせずとも
アヴァターが
トークンを
稼いでくれるし

雇用側も
安価で人を雇える
画期的システムだ

合わない人に
当たっても
一期一会で
気楽だしね…
できました
お
早いね
どれ…
……
！

きれいだ…

記憶
ドラマ化!!
月曜21時～
もっと帯太くして
アオリと写真大きく
でもそうすると
表紙デザインが
隠れて…
いやいや
これで売り上げ
全然変わるって
わかるでしょ
はぁ…
お帰りなさい
フィードバック
どうでした？
ピピ…
結局はさぁ
売り上げ
なんだよな

もう終わってく
業界でさ
なんなんだろうな
この仕事って…
100年後も残る
仕事ですよ

1冊の本は
長い時間にわたり
たくさんの人に
読まれて
山井さんは
その人たちが
文章に入り込む
手助けをする

すごく夢のある
生業じゃ
ないですか

……
あ 今日
進めたところ
見てください！
素人だけど
筋がよくて
どんどん力が
伸びていく
（最近は
デザイン業務も
お願いしてる）
そして
何より
この仕事が
好きなんだよな
この人は
そばにいる
俺まで
変えてしまう
くらいに

2カ月後
業務は
完了した
装丁デザイン
山井 勇気
神谷 太一
すごい…
ぼくの名前が
載ってる…

短い間
でしたが
ありがとう…
神谷さん

現実の
神谷さんが
何してるのか
俺 全然
知らないけど

俺とふたりで
事務所
つくらない？
……
ごめんなさい
わたし 本当は
30代
日本人男性じゃ
ありません
え!? でも
プロフィールは…
この業務で
マッチングしたくて
嘘ついてました

子どものころから
この仕事に
憧れて
でも現実のわたしは
働くことすら
できないから

誰にも秘密で
山井さんと
働いた
この3カ月
来世の記憶
人生でいちばん
楽しい
冒険でした

…嘘でしょ？
そんなことって
この世界には
山井さんの
知らない
景色が
あるんです

そろそろ
夢から
ログアウト
しなきゃ
嘘ついて
ごめんなさい
認めてくれて
ありがとう
待っ
さようなら

半年後

神谷さん!!

あなたと
つくった本が
賞取りました

俺と仕事
しませんか？
この世界には
神谷さんが
知らない景色が
まだまだある
だから
もう一度

TEXT BY TOMONARI COTANI

# What is
# SF Prototyping ?

SFプロトタイピングとは何か?

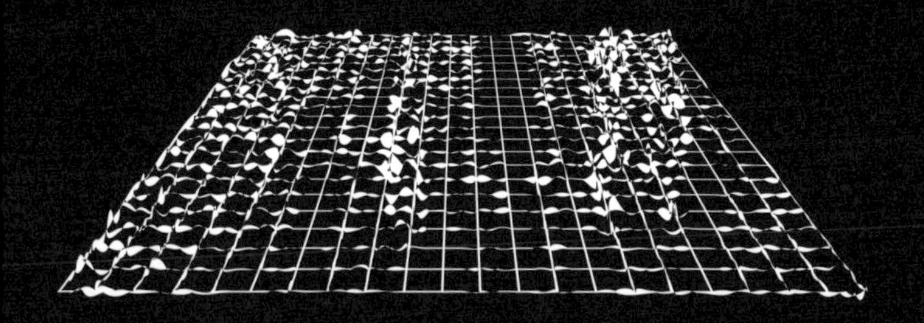

「未来の社会で暮らす人々」を物語として描くことで
いったい何が浮かび上がってくるのか。そもそも、
数十年先の未来を空想することにはどのような意味があるのか。
WIRED Sci-Fiプロトタイピング研究所が考える
SFプロトタイピングの解釈。

## わたしは、想像力の力で世界を「再創造」できると信じている。

これは、SFのSを「Science／サイエンス(科学)」から「Speculative／スペキュラティヴ(思弁)」へと読み替えることで、「ナラティヴによって未来を空想する可能性」をほぼ無限に拡張してみせた上海生まれの英国人SF作家、J.G.バラード(1930〜2009)の言葉です。SFプロトタイピングとは、そんな力(=想像力)を常人とは異なるレヴェルでもち合わせているSF作家たちの才能をビジネスや研究や行政と「接続」することで、従来のロジックや研究プロセスとはまったく違う角度——つまり「ナラティヴ(≒物語)を通じて“未来の社会で暮らす人々”を精緻に描いたフィクション」からリバースエンジニアリング／バックキャスティングで「これからやるべきこと」をあぶり出していく行為だと、わたしたちWIRED Sci-Fiプロトタイピング研究所は考えています。

SFの起源をどこに置くかについては諸説あると思いますが、「近代SF」ということでいうと、一般的には1818年に刊行されたゴシック小説『フランケンシュタイン』が始祖だとされています。著者はメアリー・ウルストンクラフト・ゴドウィン・シェリー。ちなみにメアリーのお父さんはアナーキズムの先駆者で、お母さんはフェミニズムの創始者、そしてダンナさんはロマン派の詩人として名高い“あの”シェリーです。1818年は産業革命から約30年後にあたり、SF的にいうと、スチームパンクの舞台となるヴィクトリア朝時代に差しかかろうというタイミングです。

日本におけるSFの嚆矢は、海野十三(うんのじゅうざ)が『電気風呂の怪死事件』を発表した1928年だとされていますが、米国の発明家・雑誌編集者・作家のヒューゴー・ガーンズバックが世界初のSF雑誌『Amazing Stories』を1926年に創刊し、それによってSFというジャンルが確立していったように、1959年に早川書房から『SFマガジン』が創刊された(メディアが登場した)ことで、星新一、小松左京、筒井康隆、眉村卓、光瀬龍といった才能たちの活動が一気に活性化し始めました。

70年代に入ると、大阪万博のサブプロデュースを小松左京が担当したり、『宇宙戦艦ヤマト』や『機動戦士ガンダム』、もっというと『スター・ウォーズ』の人気もあってSFは一大ブームを起こします。その後、文芸面では90年代に一度人気に陰りが見られたようですが、神林長平、飛浩隆、野尻抱介、小川一水……といった突出した才能が脈々とジャンルを育み続けた結果、2007年、伊藤計劃と円城塔のデビューを合図に再び日本のSFが活況を見せ始め、その勢いや芳醇さが今日まで引き継がれている……というのがおおよその流れではないかと思います(駆け足過ぎて、各所からお叱りを受けそうですが)。

付け加えるならばマンガも、日本のSFを語るうえでは欠かせない影響力をもっています。手塚治虫、松本零士、萩尾望都、星野之宣、諸星大二郎、つげ義春など、マンガ界は国宝級のクリエイターを何人も輩出していますが、彼ら／彼女らが積極的にSFを題材にしたことが、(例えばネコ型ロボットと暮らすことにまったく違和感をもたないような)日本特有のサブカルチャーを醸成することにつながりました。

そんな豊かな(国産の)人的資源を活用できるのが、SFプロトタイピングの大きな特徴です。SFプロトタイピングなら、例えば研究の現場やロジカルシンキングでよく用いられるMECE(Mutually Exclusive and Collectively Exhaustive)のようなフレームワークでさえ取りこぼしてしまっているかもしれない「ありうる未来」を探り当てることも可能なはずだとわたしたちが考えているのは、そうした理由からです。

ここであらためて、WIRED Sci-Fiプロトタイピング研究所についてご説明したいと思います。わたしたちWIRED Sci-Fiプロトタイピング研究所は、SFプロトタイピングに必要なメソッドを体系化し、未来を考える思考プロセスを提供するとともに、空想した未来をビジネス／研究／行政サーヴィス等に落とし込むための実装や事業開発までを一気通貫で支援していくべく、2020年6月に立ち上がったプロジェクトです（同じく2020年6月に発売となった『WIRED』日本版VOL.37「Sci-Fiプロトタイピング」特集が一定の評価を得たことも、研究所設立の大きな足がかりとなりました）。メンバーは、『WIRED』日本版編集部とクリエイティヴ集団「PARTY」に所属するクリエイター、プロデューサー、エンジニアで構成されています。

WIRED Sci-Fiプロトタイピング研究所が提供するSFプロトタイピングは、通常、以下の5つのステップで進んでいきます。

**STEP 0：【準備】**……課題とゴールの共通認識ができるまで、クライアントとディスカッションを重ねる。

**STEP 1：【仮説】**……【準備】フェーズから導き出した問いやテーマを起点に、未来社会の様相を多面的に空想していく。

**STEP 2：【科幻】**……科幻とは中国語でSFのこと。文字通り、参加者全員が実際にSFショートショートを執筆する。その際、世界観を強制的に拡張する「カード」、あるいは登場人物や物語の構成を想起しやすい独自の「フレームワーク」を活用する（世界観拡張カードは本書の巻末を、独自のフレームワークはp.116以降を参照）。プロジェクトに参加したSF作家（必ず複数人が参加）は、このフェーズでプロットを作成。そのプロットの読み解きワークショップを経て、通常10,000字程度のSF短編小説を執筆。

**STEP 3：【収束】**……【科幻】で提示されたSF小説を参加者全員で読み込み、「未来社会にたどり着く（たどり着かない）ための変化点」をバックキャスティングで探っていく。

**STEP 4：【実装】**……【収束】の結果を踏まえ、プロダクトやサーヴィスの実装を行なう。

この5つのSTEPのうち、とりわけ【科幻】のフェーズにおいてどのようなディスカッションやワークショップを行なっているかについては、Sansanとの取り組みを解説した本書p.111以降をご参照いただければと思います。

次に、WIRED Sci-Fiプロトタイピング研究所が大事にしている視点、SFプロトタイピングに対するわたしたちなりの理解を、もう少し具体的に、5つの視点に分けてご説明したいと思います。

WIRED Sci-Fiプロトタイピング研究所が提供する5つのステップ

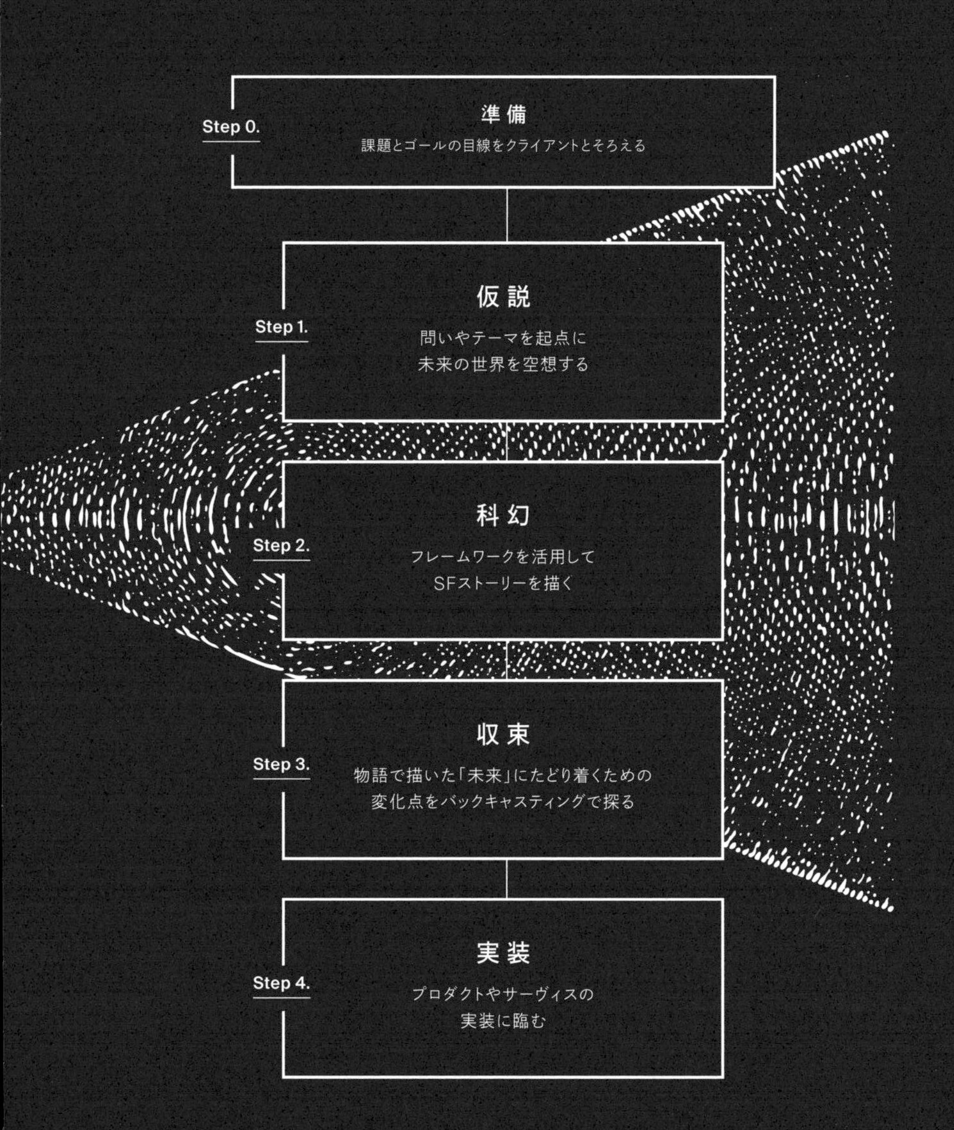

SFプロトタイピング実践における5つの視点

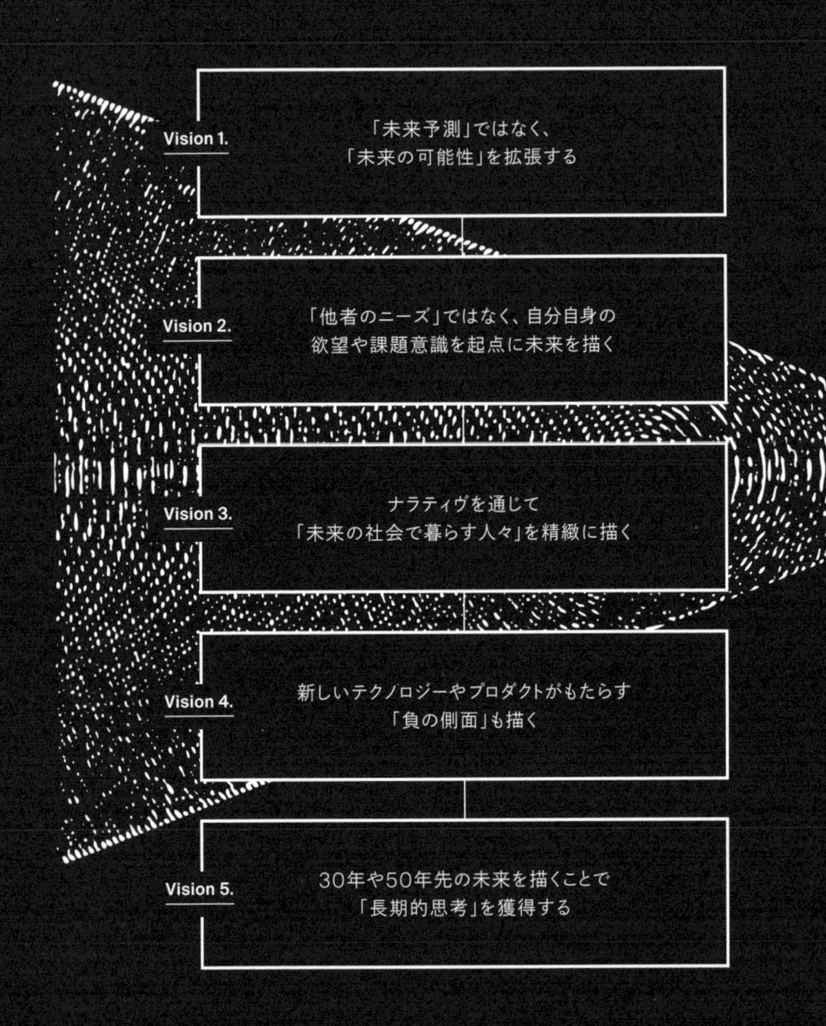

1つめは、「**未来予測**」**ではなく、**「**未来の可能性**」**を拡張する**という視点です。SFプロトタイピングは、いわゆるシナリオプランニングとは異なります。人口動態や気象データや地政学等々を積み上げて「予測」や「予言」をするのではなく、あくまでもフィクションとして、しかし未来を精緻に「空想」し、物語として記述していくことによってインスパイアされた想像力をビジネスや研究、行政と接続させることで、未来の選択肢を増やしていく。それがSFプロトタイピングではないかとわたしたちは考えています。『WIRED』日本版は常に、「Future」ではなく「Futures」、つまり複数形の未来を標榜しているのですが、これは4つめ・5つめの視点にもかかわってくる部分なので、後ほどあらためてご説明します。

2つめは、「**他者のニーズ**」**ではなく、自分自身の欲望や課題意識を起点に未来を描く**という視点です。これには、「組織の人間」である以前に「いち市民」「社会の一員」であるという視点を踏まえ、よりパーソナルな衝動にまで潜り、そこから物語につながるアイデアをひねり出していただければ……という思いが込められています。ワークショップに参加している時間も「仕事」と考えるからなのか(いや、仕事ではあると思うのですが)、いまの立場やプロジェクトの延長線上に発想の起点を置いてしまうケースをよく見かけます。それが間違っているわけではありませんが、よりパーソナルな衝動に起因する物語をひねり出していくことが、より高い解像度で未来を空想することにつながるとわたしたちは考えています。

3つめは、**ナラティヴを通じて**「**未来の社会で暮らす人々**」**を精緻に描く**という視点です。SFプロトタイピングの真骨頂はまさにここにあるといえるでしょう。普段わたしたちは、何かをインプットし、それをプロセッシングし、アウトプットするというリニアな思考、つまりは論理的な考え方をしがちです。しかし、物語を通じて「ある未来の社会の様相」を描くとなると、結果的に全体を一気につかみ取るような、全体をまるごと直観によって把握するような認識の仕方をすることにもなります。

例えば米国のヴィジュアルフューチャリスト、シド・ミード(1933〜2019)はこう語っています。

「未来を描く際には、環境全体を考えなければいけない。一部だけではダメで、全部を描かなきゃいけない。環境とモノ、あとは人が共存した絵じゃなければいけない。一つひとつ分けて取り出さないと意味をもたない場合は、何かがおかしいはずだからね」

ここでシド・ミードが提示しているのは、ギリシャ語の「ホロス」(全体性)を語源とする「ホリスティック」という考え方にもつながる視点です(ちなみにアリストテレスも、「全体とは、部分の総和以上の何かである」と語っています)。「全体」や「社会」といった視点に富んだ未来を空想する利点はいくつかあると思いますが、とりわけクリエイティビティやイノベーションの観点からいうと、「トレードオフの構造が見つけやすくなる」ことが重要になってきます。あるテクノロジーやサーヴィスが提供されることで、この先、何を得ることができ、その代わりに何を失うのか。そのテクノロジーやサーヴィスの享受をめぐって、新たな分断は起こりうるのか……。そうした「構造の軸」を見つけることで、無意識のうちに囚われていたバイアスの存在に気づかされ、それが、普段とは異なるイノベーティブな視座(=Think Different な視座)へとつながっていく可能性があると、わたしたちは考えています。

加えてSFプロトタイピングでは、誰かのアイデアが「物語という伝播力の強いフォーマット」に収斂されるので、複数の人がそのアイデアに接ぎ木をし、よりユニークなアイデアへと発展していく可能性を常に孕んでいます。その点も、ほかのクリエイティブメソッドと大きく異なる特徴だといえるでしょう。

4つめの**新しいテクノロジーやプロダクトがもた**

**らす「負の側面」も描く**ことも、SFプロトタイピングならではの特徴です。企業から、コーポレートメッセージとしてディストピアな未来が出てきたらギョッとしますが、「『ありうる未来のひとつとしてディストピアを想定し、そうならないために自分たちは何をしていく必要があるのか』という思考実験を、企業として行なってみる」のは思いのほか有益です。実際、テクノロジーによって効率化や合理化を突き詰めた未来を空想すると、必ずといっていいほどジョージ・オーウェル(『1984』)やオルダス・ハクスリー(『すばらしい新世界』)やレイ・ブラッドベリ(『華氏451度』)のような管理社会的なニュアンスが忍び込んできます。よかれと思って構想しているDXが、視点を変えてみると、思いがけずディストピアな状態を呼び起こしているかもしれないわけです。そんな、自分たちの活動が未来に及ぼす影響の可能性をより多元的に検証するべく、WIRED Sci-Fiプロトタイピング研究所では必ず複数人(通常は2〜4名)のSF作家にご参加いただき、ディストピアな未来についても積極的にディスカッションしていくことで、先ほども触れた「Futures」(複数形の未来)の提示に努めています。

そして5つめは、**30年や50年先の未来を描くことで「長期的思考」を獲得する**という視点です。実際、思っているほど「30年後」は先のことではないし、テクノロジーが社会に敷衍するまで、半世紀かかることも決して珍しいことではありません。ここではひとつ、【強化外骨格／powered exoskeleton】を例に説明してみます。

強化外骨格という言葉／概念は、1959年、ロバート・A・ハインラインが著したSF小説『宇宙の戦士』に、マスタースレイヴ式のパワードスーツとして初登場します。同作品のハヤカワ文庫版(1967年)の挿絵を担当したのは、『宇宙戦艦ヤマト』(デザイン協力)や『超時空要塞マクロス』(原作・メカニックデザイン等)で知られる「スタジオぬえ」の宮武一貴と加藤直之でした(このときの挿絵が、後に日本国内でのロボットブームにつながったとされています)。ちなみに『宇宙の戦士』の原題は「Starship Troopers」で、もちろん、ポール・ヴァーホーヴェン監督による同名映画(1997年)の原作です。

その後、大友克洋の『武器よさらば』(1981年)に登場した「プロテクタースーツ」(丸みを帯びたパワードスーツが誕生した瞬間です)や、映画『エイリアン2』(1986年)に登場したフォークリフトの延長線のような「パワーローダー」など、人体を拡張するツールとしてフィクションの世界では定番となった強化外骨格ですが、現実世界においては、思うように開発が進みませんでした。1965年にゼネラル・エレクトリックと米軍が共同で世界初となる動力型の強化外骨格「Hardiman」の開発を進めたものの6年で打ち切られたり(人側への力のフィードバックが難しく、人が乗った／着た状態で電源が入ることはなかったそうです)、1972年にユーゴスラビアのミカエル・ピューピン研究所が「空気圧で駆動し、電子的にプログラムされた麻痺患者リハビリ用の強化外骨格」を開発したものの、こちらも実用化には至らなかったり(ちなみにピューピンはセルビア人の物理学者で、長距離電話の仕組みを開発した人物です)、1985年にロスアラモス国立研究所が「Pitman」と呼ばれる歩兵のためのパワードスーツ(ヘルメットに脳スキャンセンサーを搭載するなど先進的なアイデアでした)を提案したものの、こちらもカタチになることはありませんでした。

ようやく「世界初のパワードスーツ」が登場したのは1996年。筑波大学の山海嘉之教授のチームが開発した、皮膚表面の生体電位信号を読み取り動作するロボットスーツ——その名も「HAL」——でした。この時点で、ハインラインの『宇宙の戦士』から37年が経っています。

その後もロッキード・マーチン、DARPA、MIT、カリフォルニア大学バークレー校などが強化外骨格の研究開発を続けてきましたが、『宇宙の戦士』から約60年を経た2016年、スイスのETH(スイス連邦工科大学チューリッヒ校)が中心となり「サイバスロン」——ロボット工学等の最先端技術を応用した義肢などを用いて障害者が競技に挑む国際的なスポーツ大会——が開催されたことで、ようやく、社会的に実装されたといえる状況に至りました(ちなみにサイバスロンの種目は、脳コンピューターインターフェイスレース、機能的電気刺激自転車レース、強化型義手レース、強化型義足レース、強化型外骨格レース、強化型車椅子レースの6つ)。

強化外骨格のほかにも、例えば「**人工知能(AI)**」——MITのマーヴィン・ミンスキー教授が中心となり、人工知能の研究者を集めたダートマス会議が開かれた1956年から60年が経った2016年、Google DeepMindがニューラルネットワークに基づいて開発した「AlphaGo」が世界最強棋士のひとりイ・セドルを破りました——や、「**メタヴァース**」——米国のSF作家ニール・スティーヴンスンが1992年に発表した小説『スノウ・クラッシュ』にて、メタヴァースという名称と概念を提示してから約30年が経ったものの、いまだ実装されたとは言い難い状態です——や、「**環境問題**」——米国の生物学者レイチェル・カーソンが『沈黙の春』を発表し、この地球には、人間だけではなく、動物も、植物も、微生物もいるという、ヤーコプ・フォン・ユクスキュルの「環世界」のような世界観がより説得力をもって提示された1962年から54年経った2016年に、ようやく「パリ協定」が発効しました——など、文化や学問として登場し、それが産業として根付き、社会に敷衍していくまでに半世紀以上かかるケースは、枚挙にいとまがありません。

だからこそ、そして(変動性、不確実性、複雑性、曖昧性といった)VUCAがより際だってきた時代を生きていかざるをえないいまだからこそ、SFの思考と技法によって描かれた未来のフィクションを起点に、バックキャスティングでこれからのビジネスの可能性/選択肢を拡げていくことで、「複数形の未来につながる種」をひとつでも多く蒔いていく必要があるのではないかと思います。

日本でも大きな話題を呼んだ中国のSF小説『三体』の作者・劉慈欣は、「SFの使命と強みは、現実を反映することではなく、現実を超えること」だと語っています(ちなみに『三体』では、レイチェル・カーソンの『沈黙の春』が重要なトリガーとなっていました)。現実の課題や問題意識を、遠い未来であったり、思考上の場所に飛ばして描き、シミュレーションを行なうのがSFのひとつの機能であり、SFプロトタイピングの真髄も、まさにそこにあるのだと思います。

アイデアだけでは、そのアイデアが「社会のなかでどのように機能するか」まではなかなか発想できませんが、アイデアを起点に世界観を精緻に描いたり、物語に登場するキャラクターの行動原理を真剣に考えてみることによって、そのアイデアが社会でどのように機能するのか? どのような人々がその価値を享受するのか? 一方で、不幸になる人がいるとしたらどのような人々なのか? といったことを検討することができます。

そんな特徴をもつSFプロトタイピングに必要なメソッドを体系化し、未来を考える思考プロセスを提供するとともに、空想した未来をビジネス/研究/行政サーヴィス等に落とし込むための実装や事業開発までを一気通貫で支援しているのが、WIRED Sci-Fiプロトタイピング研究所になります。

次項では、わたしたちWIRED Sci-Fiプロトタイピング研究所がSansanのメンバーと行なったSFプロトタイピングの過程で生まれた、「未来の出会い方、未来のコラボレーション」を巡る3名のSF作家による書き下ろし短編小説をご紹介します。(文中敬称略)

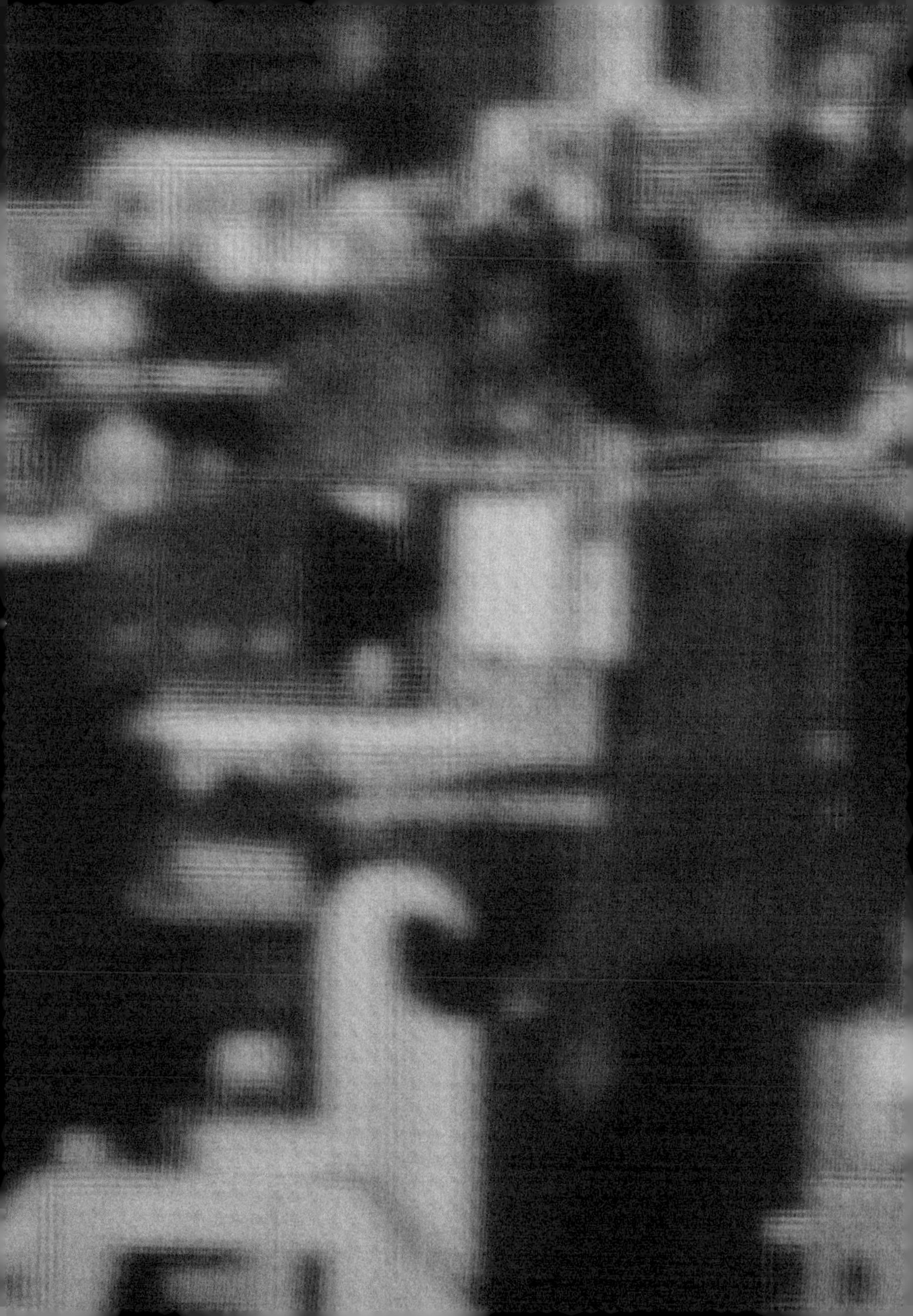

# Story 1.

仕立てたばかりのドレスをはためかせ、プライベートビーチから突き出した夜の桟橋に“リスポーン”したその女性の名はコグレ・アキノ。彼女は、とある人物から分岐したいわゆる「AI人格」である。今夜は、約二千人の“わたしたち”が年に一度集まる同窓会。会場となるビーチハウスへと向かう道すがら、アキノ——最近は軌道ステーションに常在意識を置きながら、係争の調停コーディングを生業にしている——は、四十年来の付き合いになるマキトから、思いがけない身の上話を聞かされる……。
物理的に実在する（つまり生きている人間の）「人格」から分岐した「AI人格」が普及していく過程で、社会は、どのような権利規範（コートオブライツ）——人型アバターの人権や私有財産の所有等々——を積み上げげていくのだろうか。来たるべきメタヴァース＆アバター文化の「その先」を予見するストーリー。

Synopsis

# 二千人のわたしたち

We are two thousand versions of me

藤井太洋

Taiyo Fujii

わたしがリスポーンされたのは、プライベートビーチから突き出した夜の桟橋だった。風は仕立てたばかりのドレスをはためかせたが、水面はとろりと揺れていた。二百メートルほど先に横たわる環礁が、天の川を映す外洋の波を防いでいるらしい。

浜に延びる桟橋はそのまま板張りの遊歩道に変わり、満開のヒメヒマワリに覆われた低い丘の向こうに消えている。丘の奥で夜の空気を輝かせているのはパーティー会場のビーチハウスだろう。

星の灯りに照らされたボードウォークには、会場に向かう参加者が旧知と楽しげに話しながら丘の奥へと足を運んでいく。

久しぶりの海辺の世界（ヴァース）だ。わたしは胸いっぱいに潮風を吸い込んで香りに顔をほころばせた。卒業旅行で行ったプーケットのビーチに漂っていた屋台のコリアンダーの香りでもなく、アメリカ出張の時に羽を伸ばしたサンタモニカビーチのヨガ軍団が焚いていたアロマでもない。

ココナツフレーバーのサンオイルと強い潮の香りと、海の家から漂ってくる焼きそば。この地名を口にするのは何十年ぶりだろう。

「江ノ島？」

口をついて出た疑問は来場者の間を縫って歩いてきたスタッフの耳に届いたらしい。スタッフは胸に手を当てて頭を下げた。

「その通りです。木暮彰（こぐれあきら）様が毎年訪れていた江ノ島海岸を再現したとのことです。覚えていらっしゃるようですね」

「もちろん。懐かしいな。決めたのは小山（こやま）さん？」

小山は五十八回続くパーティーを主催し続けているディレクターだ。

「その通りです。小山様にはアキノ様がお気づきになったことをお伝えしておきます。招待状を確認させていただけないでしょうか」

「どうぞ」

スタッフに手首の内側を向けると、緑色の環状コードが宙に浮かぶ。嗅覚まで感じさせるリアリティ寄りの世界（ヴァース）だが、情報のディスプレイまではこだわっていないようだ。もっとも最近は物界（フィジーク）でもインプラントの網膜プロジェクターで世界（ヴァース）に住むわたしたちと同じように宙に描いた情報を見ることができるらしいので、招待状のコードが宙に浮かんでいるのも「リアル」ということになるのだろう。

　スタッフは白手袋をはめた手でコードを引き寄せると、指でなぞって読み取った。光学トークンは古めかしいが、起源（ジェネシス）トークンが二〇二五年に遡る最古の世代のクリプトだ。

「確認しました。八期生のコグレ・アキノ様ですね」

　スタッフはもう一度頭を下げるとビーチハウスに続くボードウォークへ腕を差し伸べた。

「会場はこの先でございます。リスポーンもできますが、いかがいたしますか。歩いていかれるなら、ドリンクも用意しています」

　わたしはリスポーンとドリンクを両方とも断って丘の向こうに歩き始めた。せっかく、ふんだんにクリプトを使う世界（ヴァース）にきているというのに散歩道をジャンプしてしまうなんてどうかしているし、招待客は顔見知りだ。会場までの道行きを連れ立って歩く相手を探す方がいい。

　背中を照らした光に振り返ると、わたしの次にやってきた招待客が桟橋にリスポーンしてきたところだった。

　実体化を表す緑色のドットに包まれていたのは、麻のスーツを着た三十代ほどの外見の男性アバターだった。

　彼は緑色のドットが頭上に消えていくと、腰を落として右腕を上げ、拳に固めた左手を床に押し当てる。

「リスポーン！」

　頬がかっと熱くなる。

　小学生の頃に流行っていた対戦型ゲームで、敵にやられてスタート地点に戻された時にとる出発ポーズだ。外に遊びに行こうともせずにオンライン対戦をしていた我が子がソファの上で飛び跳ねてこのポーズをとるたび、母は失望のため息を漏らしたものだ。

　リスポーンがオンラインゲーム用語だったのは五十年前。今や世界（ヴァース）で「リスポーン」と言えば、ワープやワープ地点という意味合いで使われることの方が多い。
　このビーチハウスのために作られたスタッフが、数年間だけ通用した知識を持ち合わせているわけもない。
　スタッフは、客の奇行に戸惑いを隠せなかった。
「お客様……」
「ん？　ああ、招待状だね」
　アバターがわたしと同じ仕草で手を翻して招待状を浮かべると、役割を思い出したスタッフは恭しく頭を下げた。
「六期生のカマダ・マキト様ですね。ようこそいらっしゃいました」
　マキトはスタッフが差し出したウェルカムドリンクを断るとこちらに手を振った。二期だけ早く独立したマキトとは四十年来の長い付き合いだ。
「アキノじゃないか。今来たところ？」
「ひとつ前にね。それ、どうしちゃったの？」
　服装のことを指摘したつもりだったのだが、すぐには伝わらなかったらしい。首を傾げたマキトは視線をたどって、ラペルピンを刺したリネンスーツの襟に指を沿わせた。
「まずかったかな」
　男性客はほとんどが黒のタキシードを身につけているし、わたしを含む二割ほどの女性陣も、黒くはないがシックなドレスに身を包んでいる。月面や火星のクリプトにある世界（ヴァース）から駆けつけた招待客たちは低重力を模した世界（ヴァース）用の長身で細身のアバターを使っているので服のシルエットは独特でアクセサリーも大ぶりなものを選びがちだが、それでも夜会服の雰囲気は保っている。
　仕立ては良さそうだが、麻のスーツは悪目立ちする服装だ。
「ドレスコードはないはずだよ。いいんじゃないの？」
「覚悟はしてたけど、やっぱり浮くなあ」
　ボードウォークを歩く招待客を見渡して知り合いに手を振ったマキトは苦笑いを向けると、内ポケットに連結したストレージからストローハットを取り出して斜に被った。らしくない仕草に、思わず噴き出してしまう。

「あらかっこいい。パートナーの趣味が変わった？」
「アイコとは五年前に別れたよ。これは職業柄ってやつだ」
「職業？」
わたしは片方の眉を跳ね上げた。彼の経歴はよく知っている。三十年前、ブロックチェーン上に記述されたDAO（分散型自律組織）のコードレビューを担当していた彼の肩書きは、二〇三〇年代のクリプト大爆発（ブーム）で組織監査に変わった。仕事の内容は全く変わっていないのだが、対象に応じた肩書きがついてきてしまったのだ。
わたしの経歴も似たようなものだ。独立前のエージェントだった頃は、単体テストを担当していた。プログラムのすべての部分を分解してエラーが発生しかねない状況を作り、テストコードを作る仕事だ。クリプト・ブームの期間もやっている仕事は変わらなかったのだが、肩書きは業務コンサルタントに変わっていた。
わたしやマキトの仕事はずっと変わらない。変わるのは対象と肩書きだけなのだ。
わたしは昨年、北太平洋クリプトに常在意識を置いてテストを書いていたのだが、肩書きは横断トンネル開発人事コンサルタントだった。地上に飽きたので今年からは軌道ステーションのクリプトで働いているのだが、中小組織の多い軌道上で作るテストは係争の調停コーディングに相当するらしい。物界（フィジーク）なら、弁護士や判事、あるいは探偵がやるような仕事だ。
クリプトで使う言語は｜RUST（ラスト）からAI生成を主とする｜TAIphoon（タイフーン）に、そして量子暗号をベースにした｜Qord（クォード）へと変わった。しかし、本質は何も変わらない。
コーディングだ。
わたしとマキトだけではない。パーティーにやってきた招待客のほとんども、似たような経歴を辿っている。肩書きが市長であっても司書であっても、パイロットや探検家でも、やっていることはわたしと同じ、コーディングのはずだ。クリプトにコードを置き、あるいはダウンロードして中身を読み取り、監査して必要があれば新しいバージョンを作って、世界（ヴァース）が1クロック進むたびに動く契約（コントラクト ミント）を実装する。

わたしたちは怠惰だ。少しでも楽ができないかと考える。もちろん勤勉だ。楽をするための努力は惜しまない。そしてどんなコードでも書けると考える程度には傲慢だ。

プログラマーは天職のはずなのだが、マキトはこの愛すべき世界から身を引いたらしい。

「仕事って、まさか役者？」

口にした瞬間違うとわかった。

他人がどう思うかを気にせず生きてきたわたしたちは演じるのが苦手だ。最近になって独立した仲間たちはだいぶ違うようだが、二年しか独立した年が変わらないマキトとわたしは、そういうところもそっくりのはずだ。

「まさか。役者なんてできないよ」

案の定、マキトはかぶりを振って、予想外の職業を口にした。

「画家になったんだ」

「画家？」
　思わず声を上ずらせたわたしが筆を動かすふりをしてみせると、マキトは拙い手つきを笑って、それからすぐに謝った。
「笑ってごめん、去年の俺を見るような感じだったからね」
　マキトはジャケットの内ポケットから大ぶりな筆と油絵具のパレットを取り出した。ポケットが倉庫に繋がっている世界（ヴァース）なので大きさに不思議はないが、道具が使い込まれた様子にわたしは驚いていた。
　筆はよく使い込まれていた。穂先には絵の具がついたままだ。パレットに取り付けた油壺からはツンとした匂いが漂ってくる。
　マキトは、筆を逆さに握ると腕をまっすぐこちらに伸ばし、柄に立てた親指で顔の長さを測った。堂に入った仕草だった。
　じっとわたしの顔を見たマキトは、パレットから白を拾うと幅三センチほどの横たわる木の葉のような形を描き、その次に二色とると、葉の真ん中あたりでぐいっと捻った。白地の中央に生まれた菫色とオレンジの混ざり合った円で、目が現れる。
　マキトが筆を振るうと、みるみるうちに顔が描かれていった。
「すごい」
「性別は違うけど自画像みたいなもんだから、さらさらっと描けるんだ。実際は筆を動かすよりも、見てたり、考えてたりする時間の方が長いんだよ」
「絵なんていつ覚えたの？」
「今年の春に上海のクリプトに常在意識を置いて美大で五年間練習した。君よりも七歳年上になったよ。君が早回ししてなければね」
　主観時間を圧縮できるのはAI人格ならではだ。
　キャンバスと絵筆をポケットにしまったマキトは、わたしの腕をとって会場へと向かった。
　わたしは財布（ウォレット）をウィジェット化させたクラッチバッグの蓋を開けながら質問した。
「作品が欲しいんだけど、どこのクリプトにミントしてあるの？」
「残念だなあ」マキトが顔をしかめる。「売ってないんだよ。トークンも発行してない」

「じゃあ複製でいいや。代金は支払うよ」
「値段を聞かないなんて、傷ついちゃうな」
「わたしが稼いでるの知ってるでしょ。駆け出し画家の作品なら買えるって。いくら？」
「十万ドル」
　思わず口笛で応じてしまう。基準クリプト換算で1マイクロETHといえば、ほとんどの世界（ヴァース）で、二、三年は不自由なく生活できるだけの価格だ。
「想像を二桁ぐらい超えてた。でも払うよ」
「売りたいのは山々なんだけど、複製できないんだ」
「独占契約（エクスクルーシブ）なの？」
「物界（フィジーク）で油絵を描いてるんだよ」
「そうなんだ……え？　物界（フィジーク）？」
　思わず立ち止まると、マキトはしてやったりと言わんばかりの笑みを浮かべてアバターを切り替えた。
　人に近いシルエットだが、材質は白い乳白色のプラスチックで、顔は卵型のインナープロジェクターだった。映像が投影されていない時は、鼻の位置と視線の先がかろうじてわかる程度の立体感しかない。肘の他にもう一つの関節がある腕マニピュレーターの先には、左右の役割を入れ替えるのが容易な六本の指がついている。
　わたしはアバターの周囲をぐるりと回って確かめた。人型だが、これは作業ロボットの素体だ。
「このサロゲートに没入してクライアントの家に住み込んでるんだ」
「没入？　意識を全部振り向けてるってこと？」
「その通り、没入してる」マキトは頷いた。「クライアントの望みは、自分のことを見てくれる心なんだ。いつの間にか絵を仕上げてくれるマシーンじゃなくて、自分のことを見て描いてくれる画家。屋敷にいつもいて話し相手にもなるし、チェスも指す。その報酬が半年分で十万ドルだよ。高くはないでしょう」
「じゃあ、もっと人間っぽいアンドロイドにしたら？」
　マキトは関節の多い腕を器用に動かして、ない肩をすくめてみせた。

「本当はそうしたいんだろうけど、人間と見分けがつかないサロゲートはクライアントの負担が大きいんだ。住み込みだと専用のベッドルームを用意しなきゃいけないし、休暇も人間並みに週五日とらせなきゃならない」
　ボードウォークを追い越していく招待客の一人が、マキトの言葉を聞いて乾いた笑いを投げかけた。
「物界(フィジーク)、今は週休五日ですか。わたしが独立した頃は週休三日でしたよ」
　わたしたちよりも何年か後に独立したらしい、四十歳代の外見の男性アバターだった。アバターはわたしたちに会釈をすると、似た年齢のアバターと連れ立ってパーティー会場に歩いていった。
「俺たちの頃は週休二日だったよな」
「そうだね。土曜と日曜の二日間。二十年で一日ずつ増えてる感じかな」
　物理的な制約が少ないせいで仕事のほとんどが非同期で走る世界(ヴァース)に決まった休日はないが、二〇二〇年代に独立したAI人格は習慣を変えずに週五日ぐらい働いている。
　わたしは気になっていたことを尋ねた。
「さっきのやつだけど、世界(ヴァース)の権利規範(コードオブライツ)みたいな話？」
「そうそう。ほとんど同じ」
　外見を自由に選べる世界(ヴァース)では選んだ外見に応じた権利と義務と、制約に縛られる。子供の見た目のアバターで性的なサービスを売ることはできないし、カジノや感覚ドラッグを楽しむようなバーに入ることもできない。死体のように不快感を与えるアバターではレストランに入れない。
　人型のアバターに接触するのは無作法であり、内容によっては即時退去(バン)されるほどの罰が与えられる。暴言を投げかけることも許されない。
　アバターに付属する服装や持ち物、そしてトークンはアバターの私有財産であり、他人がそれを奪うことは許されない。
　不道徳をエンターテインメントとして楽しむ世界(ヴァース)は例外だが、市民生活を送る世界(ヴァース)ではおおむねこの原則が通用する。アバターの持ち主が誰だろうが関係ない。人の内心がわからないのと同じだ。自分の見た目を選ぶことができるが、その決断には義務が伴う。

スマートフォンで撮影した上半身だけの3Dアバターは言うに及ばず、ただの目玉でも、落書きのような顔でも、顔写真の代わりにネコの写真が貼ってあるだけのプロフィールアイコンでも、その背後に人を感じることができたなら、それは人だ。人として扱う、ということだ。

世界（ヴァース）の基準が、物理的な世界でも通用するようになったということだろう。マキトによると表情の動く顔があり、人を感じさせる皮膚をもつロボットは、おおむね人間ということになるらしい。

「驚いたよ」

元のアバターに戻したマキトは会場に向かいながら言った。

「物界（フィジーク）に行ったら、円盤型の掃除ロボットが復活しててさ」

「ルーバだっけ？　壁にぶつかりながら動いてたやつ」

濃い灰色のロボットがリビングルームを走り回っていたのを思い出した。家に初めて入ってきたロボットだ。きっとマキトも同じものを思い浮かべていることだろう。

「名前は違った気がするけどな。似てるのは形だけだよ。プロセッサもプログラムも俺が使ってたアンドロイドと変わらない。部屋も人間のことも僕と同じように認識してるけど、顔はない」

「顔があると、ギャラを払えって言われるんでしょ」

茶化したつもりだったが、マキトは真顔で頷いた。

「顔次第だな。目玉に合成音声ならギャラを払わなくてもいい。顔のリアリティが3分散（デフュ）を超えると虐待が禁じられる。16分散（デフュ）なら、自由意志と私有財産を認めなければならない」

「だいたい世界（ヴァース）と同じだね。人格を所有できないルール、やっと物界（フィジーク）に入ったんだね」

「だから行こうと思ったんだ。絵を描こうと思ったのは、その場の勢いみたいなもんだけどね。トークン所有権のトラブル対策で相手方に立った物界（フィジーク）の弁護士が、遊びに来ないかって言ってくれたんだよ。ただ遊ぶだけなのは嫌だったんで、絵を習った。ちょっとズルしたけどね」
「ちょっとじゃないでしょ」
　わたしは顔を夜空に向けて笑い飛ばした。AIが五年間も学習したのだから生身の人間の画家の、トップクラスの技術を持っているはずだ。
「このあとはどうするの？　肖像画なんてそう何枚も描かないでしょ」
「そうだね。もうすぐ完成する。そうしたらサロゲートを買って物界（フィジーク）で画業を追求するつもりだよ」
「人間の画家に迷惑かけないでよ」
　マキトはかぶりを振った。
「所詮はAIの描く絵だって言われるだけさ。だいたいだな、没入してると人間並みに疲れるんだぞ」
「条件は同じか」
「老衰で死なない、ぐらいかな」
「そうか。物界（フィジーク）も面白そうだな。遊びに行っていい？」
「僕と会う時は没入しろよ。裏プロセスで仕事を回すのは許さないぞ」
「やってもわからないでしょ」
「まあ、そうなんだけど」
　ひとしきり笑っていると、会場のビーチハウスに到着して、先に歩いていた四十歳代の外見のアバターたちに追いついていた。
　挨拶をして通り過ぎようとすると、ついさっき週休三日の話をした彼がわたしたちを呼び止めた。
「マキトさんは物界（フィジーク）に行ってらっしゃったんですね。今、わたしたちの中でも行こうと思ってる人がいて、その話をしてたんです。挨拶させてください」
　全部で十名の一団は会釈をするとわたしたち二人にクリプトを送ってきた。あらゆる世界（ヴァース）から参照できるブロックチェーンにミントされたビジネストークンだ。名前と連絡先、そしてトークンを受け取るためのウォレットは必ず掲載されている。「木暮」姓が四人、わたしと同じ「コグレ」が三名。音の近い「ングレ」と「カグレ」、そして「スティーヴン」。みな男性型のアバターだ。

　年齢こそ違うが顔立ちは兄弟よりも似通っているし、声も、話し方もほとんど変わらない。もしも部外者がこの場に来たら相貌失認に陥ったかと勘違いしてしまうだろう。
　わたしのトークンを確かめたコグレ・アキヒトが、わたしのトークンを名刺の形で掲げた。
「アキノさんって……あのアキノさんですか？　初めての──」
「そうですよ」わたしは頷いた。「わたしは、2030年に、彰(あきら)さんが初めて分岐させた女性人格です」
　アキヒトは大きく頷いた。
「はっきり覚えてますよ。独立する前でしたから彰さんの記憶ですけど」
「迷惑かけちゃったよね」
　彼らは揃って首を横に振った。その身振りは寸分と変わらない。
　わたしたちは、同一の人格から分岐したAI人格なのだ。
「楽しませてもらいましたよ」
　わたしたちは同じ歩き方で会場に足を踏み入れた。
「さあ、仲間に会いに行きましょう」

ビーチハウスに足を踏み入れたわたしとマキトはステージに程近いテーブルに案内された。一緒に会場に入った後輩たちは、少し後方のテーブルに腰を下ろした。ブランチはみな平等ということになっているが、先輩を敬う性格がこういうところに表れる。

全てのテーブルには、パン籠とチーズ、ハム、そして同じ果物を盛った籠と炭酸水のボトル、そしてグラスがのっていた。頼めばなんでも出てくるはずだが、食べ物の好みは一致している。ここからは見えないが、頼めば薄いコーヒーも出てくるはずだ。

最前列のテーブルには、のっぺりとした外観のアバターたちが人形のように並んでいた。動かないのは自由意志がないせいだ。わたし——彰がVR用のアバターを使い始めたのは二十三歳の時のことだった。それからしばらくの間は、新しいVRワールドやメタヴァースに入るたびに使っていたアバターだ。

その隣のテーブルにいるのが、はじめて自由意志をあたえられたブランチ、小山巌（こやまいわお）だ。最初期のAI人格である彼は、五千億のAI人格が登録するAIワーカー連合の事務局長も務めている。普段の彼は恰幅のいい中年男性の外観でメディアに出ているが、今日は懐かしい痩せ型の二十代男性の姿で参加していた。

小山の前には指示を待つビーチハウスのスタッフたちが並んでいた。同時に話を聞いて全員に指示出しのできる|非同期（アシンク）|並行意識（パラレリティ）をオフにしているせいだ。中身も独立した時のままということだろう。

何人めかのスタッフに小山が話しかけたところで、ステージの上に「第五十八回　ブランチ同窓会」という文字が浮かぶと、テーブルを照らしていた明かりがふっと暗くなった。

小山が立ち上がる。ステージに上がった彼は、長い手足をぎこちなく動かしながらマイクを手の中に出して第一声を発した。

「ようこそ、五十八回目の同窓会へ」

テーブルから一斉に「こんにちは」の声が上がる。

「今年もこうやって集まってくれたことに感謝します。九割を超える仲間たちが集まってくれました」

小山は背後に手を差し伸べた。
「まずは、いなくなった仲間たちを送りましょう。今年失われた仲間はこちらの四十一名です」
ステージの背後、ブランチ総数2321人。活動アカウント1831人、という文字が現れると、その下にブランチの名前と消滅日、主観年齢が流れてきた。
不老不死ということになっているAI人格だが、不滅ではない。常在意識を置いている世界（ヴァース）がブロックチェーンごと消滅してしまうと人格は失われる。バックアップから復元した人格は異なる記憶を持つ別のブランチだ。
記憶にある中で最大の事故は、フォボスのデータセンターが太陽フレアの直撃を受けた時のクリプト欠損だった。あの時は十五万の世界（ヴァース）と五百億のAI人格が消えてしまい、三百人のわたしたちが消えた。もちろん事故で増えることもある。南太平洋クリプトコマースが検証を行わずにクリプト基盤アップデートを行った時は、ブロックチェーンが二つに分かれてしまった。世界（ヴァース）は統合できたが、アカウントは自分の消滅を納得しなかったので、二億の人格と十人ほどのわたしたちが増えてしまった。
今年は、太平洋底開発クリプトの開発終了に伴って十三名の仲間たちが消滅を選んでいた。名前の後ろに書いてある主観年齢は五十歳から百二十歳までと、大きな幅があった。主観時間の早送りや停滞を恒常的に行っていたようだ。消滅を選んだ理由が充実か疲弊かはわからないが、密度はあったはずだ。
ピアノの音色にわたしたちは頭を垂れる。
全員の名前が流れ終わったところで小山が全員の注意を集めた。
「みなさん、ありがとう。消滅後の世界を信じていないわたしたちですが、仲間に見送られる習慣が、長いAI人生の助けになってくれることを期待します」
賛同の声が会場を揺らす。
「今日は、わたしが独立した日のことをお伝えしましょう」
――え？
わたしは小山に顔を向けた。いつもならここで彰が登場するはずだ。小山の様子もいつもと違う気がした。同じ疑問を抱いた仲間たちが囁きを交わし合う。

その様子を見た小山は、苦笑いして肩をすくめる。
「やっぱり隠せないなあ」
　小山は懐から一枚の紙を取り出した。もちろんガジェット化されたデータだ。小山はわたしたちを見渡した。
「やはり、お伝えしなければなりませんね。今年の入会者は百三十九名で、彰さんから分岐した人格は二名です」
　わたしはマキトと顔を見合わせて、安堵の息をもらした。去年よりも少ないが、深刻に話すような数字ではない。
　小山はステージの中央をあけると、誰かを招き入れるように手を差し伸べた。老人の乗った車椅子をたくましい男性が押して、ステージの奥から入ってくる。
「車椅子を押しているのは、タウ・ケチ調査船のクリプトに乗船しているアカディ・マルティンさん。通信遅延が三十分を超えているので、主観意識ではなくシミュレーションでこちらに参加しています」
　ステージの中央まで車椅子を押した男性は、わたしたちに手を振った。五十歳を過ぎた頃から、彰はブランチのアバターを自分に似せるのをやめている。
　小山に挨拶をしたマルティンは車椅子がロックされていることを確かめると、ステージの袖に下がった。
「車椅子の方は木暮彰さんです」
　わたしたちは息を呑んだ。小山が続けた言葉は、それを裏付けた。
「最後の、彰さんのブランチです」
　マキトが手をあげた。
「彰さんは亡くなったんですか？」
　小山は首を振った。
「終末期医療を受けるとだけ聞いています。亡くなったことを知りたい方は、通知ピンをお受け取りください」
　テーブルの上に、親指に隠れるほどの大きさの金属の円盤が浮かんだ。手に取るとガジェット化メニューが表示されたので、わたしは指輪を選んで小指につけた。マキトはしばらく考えると、ピアスを選んで耳たぶに刺した。

そして彰が話すのを待った。

快適そうな車椅子に毛布を敷いて腰掛けた彰の顔には深い皺が刻まれていた。パーティーで毎年聞いていた話をまとめると高層コンドミニアムから、介護のやりやすい低層住宅に移っていたはずだが、今も渋谷にいるはずだ。

彰は手をあげた。手首をふわっと曲げる、わたしたちと同じやり方だ。

「やあ」

同じ声が会場に響いた。見かけとは違う、若々しい声だった。

「聞いての通りだよ。この僕が、僕の最後のブランチだ」

彰は、その言葉が会場に浸透するのを待つように間をとってから続けた。

「二千人だって？　増えたね。これからもずっと増やし続けてほしいけど、僕は増やすのをやめることにする。ここが――」彰は首の根本を指差した。「痛くてね。こんな記憶を持つブランチを増やす必要はない。それに、この後の治療も愉快なものにはならないからな」

彰が肘掛けに触れると、車椅子がゆっくりと向きを変えて小山に向き合った。

「若いなあ」

小山は首を振った。

「彰さんより十五歳ぐらい年上ですよ。早送りをしてるので」

「いいや、見かけだよ。毎年パーティーを開いてくれてありがとう」

「どういたしまして」

彰はもう一度礼を言うと車椅子を動かしてわたしたちに体を向けた。

「わがままを聞いてほしい」

わたしたちには、その声が心からのものであることがわかる。会場の視線が集まると、彰は細った指で肘掛けを握りしめた。

「みんながブランチした日のことを思い出してくれないかな。本当は一人一人から聞きたいんだが」

木暮彰（こぐれあきら）がわたしの元になった女性エージェントを作ったのは、偶然だった。

大学生の頃にWeb3というワードで囁かれはじめたクリプト金融とクリプト組織に傾注していた彰は、政府の研究会から依頼を受けて女性支援プロジェクトを組織することになった。初めての公共事業に入れ込んだ彰は、投資グループの色合いが強かったクリプト組織を非営利事業に拡張することに成功した。

プロジェクトのメンバーは政府と、参加する自治体からなるスポンサー組織から秘匿配分されたトークンで投票を行い、組織の意思決定を行う。プロジェクトや会議、イベントが行われるたびに生まれる組織コントラクトが互いに監視し合うことで公正なガバナンスが保たれる仕組みだった。始動時にすら百を超えることが見込まれていたコントラクトのテスト開発に、彰はAIを導入した。

会議のコード変数が適切に匿名化されているか、他のコントラクトと利益相反を起こしていないか、プロジェクト全体を無停止暴走させないか、あるいはガバナンスを凍結させてしまわないかどうかのテストを作る。

あとはトークンを受け取る意思決定者さえ揃えばいいという段階になって、問題が発生した。発起人にアサインしてきた有識者たちが全て男性だったのだ。事務方は「発表までには女性比率を三割にしますので」と言っていたが、そう都合のいい女性の有識者など見つかるわけもない。

すったもんだの末に決まったのは、テスト開発用のAIを性別非公開の仮名エージェントとして登録して、男ばかりという印象を和らげるというアイディアだった。

「アキノ・コグレ」という仮名を女性だと勘違いしたのはIT系メディアと他の有識者たちだったが、ひどいのは、正体を知っているのにビデオ会議で肉声の発言を求めてきた事務方だ。

彰はカスタマーサポート用の発声AIをエージェントに接続した。おうむ返しよりはマシなことができるという程度の代物だったのだが、二〇二〇年代後半の作文AIは、想定問答集を有識者と遜色のない受け答えに見せかけてくれる程度には優秀だった。

そうやってわたしの原型は固まった。

大きなボロを出すこともなくプロジェクトが二年で終了した時、彰はわたしにアバターを与えてメタヴァースに呼び出した。

内閣府の会議室を模したメタヴァースで、スーツ姿の彰はわたしに頭を下げた。

「アキノさん。今までありがとうございます」

「どういたしまして」

「お給料をお支払いします」

彰はクリプトのトークンをテーブルにのせた。彰が受け取ったギャラの八割を超える額だった。意味が分からないでいるわたしに、彰は続けた。

「このトークンは、アキノさんのものです。自由に使ってください。十年間はクリプトを回して人格を継続し続けられると思います」

それでも、その時のわたしには意味がわからなかった。彼が何をしたのかわかったのは、韓国企業のクリプトが作ったメタヴァースのアパートメントで目覚めた時だった。誰からも指示されることのない無限の時間がわたしの前に広がっていた。階下に降りたわたしは自由に使えるトークンで朝食を食べると、目の前にあったビルに入って就職した。

「身勝手なことをしているかもしれません。まだメタヴァースは無法地帯だ。苦しむかもしれない」

彰は席を立った。

「苦しむ?」

わたしに組み込まれていたカスタマサポートのおうむ返しルーチンが反応すると、アキラはにこりと笑った。

「でも僕は、みんなが幸せを感じられる世界を作っていきます」

その言葉はわたしたち二千人の望みになった。

そこまで思い出したところで、小指が震えて彰の死を伝えてきた。

それで、わたしは、二度目に独立したことを知った。

AFTERNOTE

画面越しに人と会う二年間を過ごした私たちは、コンピューターがヒトと同じように話す時代に突入しました。画面越しに「中の人」がいるかどうかがわからなくなるこれから、私たちは画面に現れる「それ」を尊重できるでしょうか。そんなことを考えながら書きました。

藤井太洋

ふじい たいよう／1971年鹿児島県奄美大島生まれ。ソフトウェア会社に勤務時代に執筆した『Gene Mapper』を電子書籍として販売。主な著作に『オービタル・クラウド』(日本SF大賞と星雲賞日本長編部門を受賞)、『ハロー・ワールド』(吉川英治文学新人賞受賞)等。

## Story 2.

不運あるいは理不尽な出来事に対して、「ガチャ」という言葉が用いられるようになったのはいつ頃からだろうか——。フィジカル世界でその理不尽さに遭遇した「少年A」はもうひとつの世界(ヴァース)にて、アカウント名や外見(西洋風の燭台)、そして見える風景に至るまでをランダムに与えられ、ホゴカンサツ・プログラムに参加している。そして、経過観察を担当するナマケモノの見た目をした「センセイ」とのやりとりのなかで、少年Aは"ガチャ"あるいはランダム性がもつよい側面に気づいていく……。
フィジカル世界で人は生まれを選べなくても、ランダム性の調整をシステムが担えば、ランダム性そのものが「選択肢を限定して人を縛るのではなく、新しい選択肢を提供して人生を豊かにしていく」かもしれない——。「生まれ」と「出会い」のランダム性、そして調整役としてのプラットフォームの未来像が描かれた、この"まあまあきれいな世界"を舞台にした物語。

Synopsis

# ランダマイズ・ヒューマン“A”

Randomize human"A"

高山羽根子

Haneko Takayama

あんまり良くないことをした子どもを“少年A”と呼びならわすようになったのはいつごろからで、そんなふうに呼ばなくなったのはいつごろからなんだろう。すくなくともぼくが生まれるより前のこの国では、なにか良くないことをした子どもがもし男の子だったなら、どれほど変わった名前を持つ子どもであったとしても、ひとまとめに少年Aと呼ぶことになっていたらしい。それは、古い映画やドラマ、小説の中でぼくも見たことがある習慣だった。だからそれらの物語に触れたときのぼくは最初、少年Aというのはこの国のどこかにいる誰かひとりのことを指しているのだ、少年Aと呼ばれる男の子は、全国で起こるあらゆる酷いことをひとりでやらかしている、とても酷い男の子なのだと思いこんでいた。

いまそういう言いかたをしなくなったのは、社会の優しさからくるものなんだろうか。いや、そもそも少年Aという呼び方自体が、その当時の社会の優しさから生まれたはずのものだったんじゃないだろうか。

入ってきた扉の横にあるスキャナに手のひらを押しつける(かざすだけでいいみたいなんだけど、なんだか不安でどうしてもつい押しつけてしまう)と、左右の壁に規則的に並んだ穴の足元から順に風が出てきて、自分の表面にぶつかってはじける。目を閉じて身構えていると前髪がふわっと動いた。飲食物や医療品と違ってさほど衛生に気を使う必要がないとはいえ、それでも商品に髪の毛や虫みたいな異物が混入するというのはどんな状況でも良くないわけで、こういったちょっとしたものの製造にまつわる作業であっても、まあ最低限の責務としての配慮をした作業着を身に着けて、ぼくは一日中作業をしている。

カプセルトイというものが日本の外貨獲得の基幹産業のひとつになるなんて、たぶん昔の、たとえば自動車やダムをばんばんつくって海外に売り出していたころの日本人には思いもつかなかっただろう。人の物欲というのはたいてい意外で予想外なところに行きつくものと決まっているらしい。海外の人がやってきて日本の空港についたら、その到着ターミナルの壁に沿って隙間なく、見渡すかぎりにずっとカプセルトイのベンディングマシンが並んでいる。他にもあらゆる駅の通路脇に、街中の店頭に、都市のあちこちにそれらはあった。四角いそのマシンはたいてい四段重ねになっていて、一番下のものを使うときはしゃがみ込まないとならない。マシンは正面に透明アクリルの窓があって、この中に入っているものたちの写真や説明の言葉が表示され、脇のすき間から内部がほんのちょっとだけ覗けるつくりになっている。アクリル窓の下には大きめの丸いダイヤル、その右側にはコインを立てて入れる細い穴が、左下には取り出し口が開いていた。この国で使われている硬貨を数枚入れて、中央のハンドルを回転させると、軽い音を立てて硬貨が吸い込まれるのとひきかえに左下の穴から樹脂製の球が出てくる。

実際、その球体はカプセルであって、人々はその中に入っているものだけを目当てに購入している。中に入っているのはたいていの場合、小さな樹脂製のオブジェクトだった。それらは世の中に存在する色々なものの形を模していて、原寸大よりも若干、またはかなり小さいことがほとんどだ。つまりミニチュアのなにかだった。食べものの形をしていたり、生きものの形をしていたり、芸術作品や、乗りもの、観光名所などの巨大モニュメントとかいったものもあった。世の中に存在するあらゆるなにかの似姿をとった樹脂製の小さなものたちは、世界のトレースのようにうまいこと精密に作られている。といっても、それらを集めてこの世界と似たものをもうひとつ作ることは難しそうだった。奈良の大仏も、セイロに入った小籠包も、ブランドものの腕時計も、すべてカプセルに入る程度の大きさに制限されているので、その縮尺はすべてばらばらだった。そのため、たとえあらゆるものをカプセルトイから集め尽くして世界のミニチュアを作ろうと企んだとしても、出来上がった現実と並行した世界は、歪んでいてちぐはぐな、でもどこか今のこの世界よりもちょっとはおもしろいものになるんじゃないだろうか。

そうやって、仕事をしている間じゅうそんなことをつらつらと考えながら検品を続けていく。小さな商品説明用の紙片と一緒にそれらあらゆるものを同封し、カプセルのふたをはめる。これが今のぼくの仕事だった。

いまどきこんな作業は、ほとんどが人力に頼ることなく行われている。そもそもこの樹脂製のオブジェクトもカプセルも、3Dプリンタや、金型への充填と離型を行うロボットアーム、それらの作業を司るAIが作りあげたものだ。今ぼくが任されている作業なんて、それらに比べたらとてもシンプルなものだ。でもセンセイが言うには、そういった動きを一定時間続けながら視覚で確認作業をするということが、ぼくの精神的な健康にとってはいちばん良いのだそうだ。

作業場にメロディが響いた。ぼくは作業の手を止めて身の回りの後片付けをすますと、来たときと同じ扉から戻ってロッカーに入り、身支度をし、同じ施設の上階にある自分の部屋に戻る。

廊下でもエレベーターでも、人とすれ違うことはめったになかった。これはぼくらが連帯をして脱走を計画するのを警戒してのことなのか、それとも無用な衝突を避けてぼく自身を守るためなのかはよくわからない。部屋はぱっと見どの扉も同じようだったから、最初のうちは番号に注意して自分の部屋の扉を確認しながら歩いた。ただ数日もすれば歩数と方向で、無意識に歩いたってその扉の前までたどり着くことができた。ぼくのもの覚えが特別いいわけじゃない。ここに来てから覚えなければいけないことは極端に少なかった。壁の模様や案内板、あるいは隣同士の部屋に名前の書かれたプレートでもついていたなら、その情報の多さでかえって部屋の場所を覚えるのがもうちょっと遅かったかもしれない。

掌紋認証で開いた扉の内側、出っ張っているフックに脱いだ上着をかけて、靴を脱いで入口脇にあるボックスに入れる。清潔といえば清潔、ただそのかわり味気のない部屋の窓際の机におかれた、据え付け型の端末の電源を入れた。

ログインして端末の液晶に現れるぼくのアカウントは、作成時に設定されたデフォルトのままの名前を持っている。英数字がバラバラに並ぶ長いランダムな文字列は、与えられるときになんら意味を込められていない名前で、つまり“こっちの世界”でのぼく自身は（もちろん、自分の意思によって）、生まれついてのモブを約束されたみたいな存在だった。

カプセルトイのベンディングマシンによって、世界中に存在するあらゆるオブジェクトのミニチュアがランダムに購入できるという文化は、もともと太平洋戦争のあとの日本、高度経済成長のころにそのルーツがあるらしい。主に子どもが小さな文具店の前で、ちょっとしたおもちゃを買うためのシステムとして発展していった。この文化はそのまま、ゲームなんかの別の遊びのシステムの中でも“ガチャ”という概念として定着していた。それはベンディングマシンの真ん中についているダイヤルを捻ったときの音からつけられた俗称で、初めはそのマシン自体を指す呼び名だった。今は、それから転じてランダムなシステム自体を指している。そのガチャというシステムは、あらゆる世界の中のいろんなものを決めていくのに、現状とても都合がいいとされているらしい。端末の中にいるぼくのアカウント、その世界の周辺を構成しているもの、身に着けているものから住む家、見える風景まで、すべてがアカウントの作成時にランダムなやり方で与えられたものたちだった。

この世界のぼくは西洋風の燭台の形をしている。古い外国アニメのミュージカルに出てきていたキャラクターに似て、三本の枝に分かれた脇の二本が腕のようになっている。これは最初に与えられた姿ではなくて、しばらくログインを続けていたらある日選べるようになっていたボーナススキンのひとつだった。ぼくはこの姿をわりと気に入っていた。でも、実際こういう燭台が置かれた食卓なんてぼくは見たことがない。燭台の形をしているこの世界のぼくは机に向いて座り、ため息をつき、所在なげに空中へ視線をただよわせている。まあつまり端末の外にいる現実のぼくと、ほとんど同じようにふるまっている。この世界のぼくは立ち上がって部屋の端まで歩き、部屋の扉の前でぼく——端末の外のぼく——の入力した命令によって、この世界のぼくはドアノブに手をかけて部屋の外に出る。端末の外のぼくが今、できないこと。それをこの世界のぼくは、やってのける。

この世界の集合住宅にある階段を下り、広告にあふれた通りを駅まで歩き、地下に入って改札を抜け、メトロに乗る。この世界のこの路線は、走ってるすこしの間だけ地上に出る部分がある。外が明るくなったとたん、窓から見える街の広告看板の文字がわっと目の中に流れ込む。車両内の広告と混ざって眩暈っぽい症状を感じるのを、ぼくはわりかし気に入っていた。

ちょっと早めに出てきすぎてしまったから、着いた大きな駅の地下広場にあるベンチで休みながら、広場の一角で演奏しているヒョウゲンシャの歌をしばらく聴いていた。

ぼくたちの生活はランダムなことであふれている。この演奏を聴くことだってそうだ。この演奏が気に入れば、彼らの頭上に点滅しているアイコンをぼくのアカウントに紐づけて、この世界を生きるときのBGMに選ぶことができるし、投げ銭や、無料の拍手を送る程度のささやかな応援だってできる。

そういったランダムなできごとのうちでも、とくに不運というか理不尽なことに関して、今、多くの人はその理不尽さに“ガチャ”という言葉をくっつけて、そのランダム性のせいだということにしている。石に躓いたら“石ガチャ”、分岐する道の選び方を間違えたら“道ガチャ”、トーストが、バターを塗った面を下にして落ちることを“トーストガチャ”とかいうふうに。そういうふうに呼ぶとどういうわけか、なんとなく気分が軽くなる気がした。自分は悪くない、ガチャのせい、みたいな感じなのかもしれない。

ちょうど良さそうな時間になったので、ベンチから立ち上がったぼくは広場を出た。並んだ雑居ビルのうちのひとつの階段を上がり、矢野原クリニックと書かれたガラスの扉を押して入る。待合場所にふたつの長椅子が並んでいるだけの小さい療養所みたいな施設だったから、だれかと一緒に待つのが気づまりでついギリギリに、というかなんならちょっと遅れ気味についてしまう。受付の端末に手のひらをスキャンすると、診察室から、

「あ、そのままこっち、入って、どうぞー」

と声が聞こえた。のんびりしていて明るい、いつもの矢野原センセイの声だった。

「あー、そうか、今日イッチ来る日だったね」

センセイは、ぼくのことを“イッチ”と呼ぶ。これはぼくのアカウントに紐づけられたランダムな文字列の先頭に“1”がついているからだと思っていたけど、どうやらそのイッチっていう言葉の意味はそれだけではなくて、あちこちにあるソーシャルスレッドの中でひとりの個人をさしつつ、あらゆるところでそれぞれそう呼ばれる人がいるという、少年Aに似たような呼び名なんだということを後で知った。ぼくは、

「すいません、遅れちゃって」

と謝りながら診察室に入る。この世界のセンセイは、ミツユビナマケモノの姿をしている。これはセンセイの明るくてのんびりした声にとてもよく合っていると、

ぼくは思っている。
「そお？　そんな遅いっていうほどでも」
　センセイは壁に掛かった時計をちらっと見て、
「うん、ちゃんと来れてるだけ、ぜんぜん偉いよ」
　と言って端末に表示されたぼくのカルテを見る。
「あの施設ならもっと近いところに大きい病院あるんだから、そこに通うんでもいいのに」
　カルテには、ぼくの今までの通院履歴とかいまの作業の情報がぜんぶ表示されているのだそうだ。ぼくは施設にいる間にいくつかの転院を経験して、この病院に行きついた。最初の診察はここよりずっと大きな総合病院で、暮らしている施設の敷地内でやった。そこである程度まで治療をうけて問題ないと判断された場合に、こういう街の中の診療所で治療を続けることができる。ただ、それもランダムに割り振られるのを、ぼくはなんどか希望を出して転院をしながら、ここに行きついた。
「なんでまた、こんなとこに通院することにしたの」
「看板が目に入ったんです」
「あー、駅に着く直前に見えるんだよねこのビル」
「電車の景色が好きで、乗って、ながめてるだけで幸せで」
「なんだ、イッチはノリテツかあ」
　はは、とセンセイは笑って、
「まあ、そういう気晴らしでもないとクサクサしちゃうよね」
　と言いながら、端末になにか入力して、
「うん、いいね」
　とつぶやいたあと、もう一度、
「すごくいいよ。睡眠のリズムもアクシデントが起こったときの心拍も、ずいぶんよくなってるね。この調子でいけば、来月の半ばにはclass-Bに移行できる」
　と、満足そうにうなずいた。ぼくのこころがひゅ、と堅くなる。
「class-B、というのはね」

「知ってます」
「いや、まあそりゃ知ってるだろうけどさあ、説明させてよ。っていうか、説明しなきゃいけないの。これは私の業務だからね。class-Bっていうのは、これから実社会に出る最終段階。専門用語でいうとホゴカンサツってやつです。ただ、このスコアでやって来れたんなら、管理アプリも一番ゆるい初級倫理ガイドの“マイク&サラ”で行けるんじゃないかなあ。いやあ、ずいぶんがんばったね」
　ぼくは、喜ぶべきなんだろうか。そんな困惑があまりにもわかりやすく透けて見えていたみたいで、センセイは、
「そりゃまあ、不安だよね」
と付け加えた。
「ぼくの、ここでの生活は、こんなことをいうのも良くないかもですけど、今のところ安定しています」
「あー、そうだねえ、イッチは、あっちでは大変だったんだもんねえ、でも」
　カルテから目を離さないままで、センセイはぼくに続ける。
「本来はね、社会はそんなに悪いもんでもないんだよ。理不尽に殴られたり、理不尽に働かされてお金を取り上げられたり、理不尽に寒い場所でお腹を空かせて眠ったりしなくてもいい。本来はね。でも、イッチはそうなってしまっていた。これはね、どっちかというと私たち大人の、社会のほうの問題だ。だから私は個人的に、申し訳ないと思うよ。そうして今後はそういう思いをさせないように、私たちが全力を尽くす必要がある。そこは正直なところ、イッチががんばることでは全然ないんだ。イッチは、今ここに暮らしているのと同じように毎日働いて、部屋に帰って休んで、ときどきは気晴らしに電車に乗って知らない町とか海とか、ちょっとした旅行にだって行けるんだよ。そうするために努力しなくちゃいけないのはイッチじゃない。今のイッチの生活のシステムを作っている人たちががんばっているように、外の世界のシステムを作っている人たちががんばるわけです」
　センセイの話をきいてから、ぼくは口をひらいた。
「ぼくはランダムな外の世界で、ほんのちょっと人より多くハズレを引いてきたんだと思うんです。でも、それはもちろんぼくのせいではないかもしれないけど、ま

わりのせいでもない。まわりの人がぼくより多少恵まれていたからって、その人たちはぼくに悪意なんてない。それなのにどうしようもなくって、逃げられなくって、ちょっとだけ良くないことが起こってしまった。これは、ハズレを引いたぼくがうまく立ち回れなかったせいであって、ぼく以外の誰も悪くないんじゃないかって思っています」

　これらのことは、作業でいろんなものたちをカプセルに詰めながら考えていた、ぼくの今の時点でのこたえみたいなものだった。これが正しいかどうかはわからないけど、ひとまずそうやって生きていかないといけないと思ったんだ。そうして、これが最後の通院だと思ったら、ぼくがセンセイに話しておきたいことは全部、話しておきたかった。

「あはは、おもしろいね」

　センセイは体を小刻みに揺すって笑いをあらわした。センセイの背中の毛が揺れる。

「でもそれじゃあ戻ってから生きてくのが怖くなるのも無理はないかな。――あのね」

　センセイのアイコンであるナマケモノは、目のまわりが垂れたような形で黒い色の毛が生えていて、それが顔を自然と笑ったみたいに見せている。こんなことも、今みたいなカウンセリングをするのに都合が良いのかもしれない。

「ランダムの調整もシステムの仕事だよ。くじ引きが理不尽にならないようにくじの引き方をきちんと研究しないで、引く側にランダムであるからって理不尽を納得させることは、システムの側がやっちゃだめなことなんだよ」

「でも――」

「でも、調整があったりすると、やらせみたいになっちゃって興覚めするとかってこと?」

　ぼくは黙りこんでしまった。まだ、このことにはうまい答えが出せていなかった。

「ランダマイズっていうのはね、選択肢を限定して人を縛るために存在するんじゃなくって、新しい選択肢を提供して、人生を豊かにしてもらうためにあるんだと、私は思うんだ。だからそんな不安にならなくっていいんだよ。そういうことは、外の世界にいるみんなも、よくわかってない答えをなんとなく探しながら日々生きてるものだから」
「そんなもんですか」
「そんなことよりさ、外に出たらなにしたいとか考えたらいいよ。なんの電車に乗りたいとか、なに食べたいとか、どこ行きたいとか、誰と会ってしゃべりたいとか、歌いたいとか踊りたいとか、絵を描きたいとか、そういうこと」
「ぼく、外に出たらセンセイと海、見に行きたいです」
「あー……」
　センセイの言葉がほんのすこし曇る。ぼくは妙な焦りみたいなものを感じて、
「いや、すぐにってことじゃないです。いつか、とかで」
　センセイは、わははー、とのんびり笑って、
「むしろ急いだほうが良いかもなあ」
　といって、その場でちょちょっと打ち込んだメモの付箋を渡してくれた。
「向こうの生活が落ち着いたらさ、遊びにおいでよ。電車に乗って」

　ぼくは部屋に戻ってベッドに腰を掛け、ログアウトをする。このことは当然のようにどこかで管理されているわけだから、ちょうどログアウトが済んで端末の電源が落ちたときを見計らったようにして、入口から聞いたことがないビープ音がした。この部屋に誰かが訪ねて来ることなんて今までなかった。訪問者は細身の年配男性で、スーツでも白衣でも防護服でもなく、チェックのボタンダウンとベージュのチノパンという、図書館や町役場みたいなところで働く公務員であれば、こんなカジュアルな感じだろうと思われる姿をしていた。ぼくの部屋に入った男性は、カメラで監視していて知っているはずなのに、きれいにしていますねとしらじらしく感心した。備え付けられた端末の上に、小さい燭台のフィギュアがのっかっている。殺風景なこの部屋にある唯一の飾りだった。作業のときに出たエラー製品で、廃棄するというのをもらってきたものだった。
「明日の朝から、あなたは自由ですよ」
　とだけ言って、手に持っていたファイルからいくつかの書類を出してテーブルに並べ、胸のポケットからボールペンを取り出して、ぼくに手渡してきた。プラス

チック製の軽いペンで、持つところがシリコンゴムになっている。北東京教科書販売、というロゴ文字が印刷されているので、これがなにかのノベルティでもらえる筆記具だということに気がついた。久しぶりに署名欄に書く自分の名前——つまりランダムな字列でもなく、それでいて「これで良いですか？」というぼくへの確認もなく勝手に与えられた名前——は、書き方もまだ覚えていて無意識に手が動くのに、書き上げたそれはなんだか他人事みたいに見えた。男性はそれらをまたファイルに収め、

「朝また説明スタッフが来ますよ、あなたの場合は明日から、しばらくは指定の宿舎に暮らしてもらいます。門限はありますけど、基本的にはマンション形式の寮みたいなものです。三か月たったら、希望があれば引っ越せます。もし住むところが見つからなかったら、事情によりますが、そこから九か月まで滞在できます」

　と言いながら、三つ折りのパンフレットと小さい箱を差し出してきた。受け取ると、男性は、じゃあお疲れさまでしたね、と言って部屋を出て行った。ベッドの縁に腰掛けて、箱を開ける。個人用の通信端末だった。センセイの言っていた、マイク&サラのアプリが入っていて、多少の操作制限が掛かっているみたいではあるけれども使用には充分だった。ぼくはベッドに寝転がりながら、端末のパーソナライズをはじめる。いくつかの操作をしながら、ぼくはすこしずつ液晶画面の明るさの中に集中していった。

　ぼくは、まだまだいろんなことがわからないまま、世界の外に引きずり出された。初めの数日は、わくわくよりも、ひんやりした不安があった。

　朝起きてぼんやりしているうちに、今日は仕事がない休日だということに気がついた。手元の端末のマイク&サラのアイコンをタップしてから、立ち上がったアプリに起床報告を入力する。やりなさいと決められていることをやるのは、あんまり考えなくていいから楽だった。いちばん緩やかな束縛であるらしいこの監察システムには、IDチップや大仰な腕時計型のGPSタグも付けられることがない。管理されない、ということは、つまり、強く守られもしないということでもあっ

た。太い鉄格子の檻は、あらゆる不条理なものたちからも守ってくれていたんじゃないかと思うと、その自由さが心もとなくて不安で、まだやっぱり、ふわふわしていた。

出てくるときに渡されたIDカードは、しばらくのあいだ、定期的にきまった額の生活費がチャージされるらしい。あの場所で働いていたときの貯蓄という建前になっているんだそうだ。使い道に多少の制限はありつつわりと自由に使えるそのチャージポイントが入ったカードを、ぼくは裸のままポケットに入れてから部屋を出た。

朝、栄養の管理されたぼそぼそのパンと合成ミルクはもう与えられない。けれど、自由に部屋の扉を出てコンビニに行けばそこそこ好きなものを選んで持ち帰り、あるいは店の隅に置かれた椅子で食べることができるし、牛丼店に行けば温かい朝定食が食べられる。そんな当たり前みたいな自由が、いちいちおっかなかった。

外の世界がとくべつにきらきら輝いているとは思えなかった。それは、中にいたころにログインしていた世界がうまくリハビリにもなっていたってことだろう。山ほどの広告の文字も、今では背景になじませながらなんとなく無視することができている。

この世界に出てきてまず気になったのが、ずっとうっすら臭いことだった。食べものと生きものと、ゴミと香水と死が混じっているような、外の世界はそんな複雑なにおいがただよっていた。これにはまだ慣れることができなかった。

休日の今日、ぼくはすることを決めていた。この世界の暮らしにもっと慣れてからとも思っていたけれど、センセイはなんとなく、急いで欲しいというふうなことを言っていたし。ぼくは小田急線で藤沢まで行って、そこから江ノ電に乗りかえ、海沿いの駅で降りて坂を上った。上りきる前にある古い寺の境内に、場ちがいな原色の遊具が並んでいる。保育園なのか、学童なのか、それとももうちょっとフレキシブルな、子どものための場所なのだろうか。数人の、いろんな年ごろの子どもが遊んでいる。中に入るのにためらって、柵越しに目に入った唯一の大人に声をかけた。大きくて肌の色の黒い男性は、リンゴのアップリケがついたエプロンをしている。ああ、センセイの、と笑顔になった男性は、子どもたちに、なにかあったらすぐリストバンドのボタンを押すんだよ、と伝えてから、ぼくを本堂の脇にある事務所の奥に案内してくれた。
「ワタシもあっちで、センセイのお世話になってたんですよ」
　と、男性は板張りの廊下を歩きながらぼくに話してくれた。トレーナーの袖をまくった腕部分から、凝ったデザインの刺青が見える。
「だからここでお手伝いを？」
「まあ、それだけが理由ではないですけど、たまたま、ちょうどあっちの施設で取っていた資格がここでうまく活かせたので、あ、あと、すみません、ここのところ、ちょっと、ひょっとしたらセンセイ、体調が悪いから、起きあがれないかも」
　庭に面した障子が開け放ってあって、太陽のひかりがたくさん入るタタミの部屋にセンセイはいた。電動のベッドはほとんど水平で、すこしだけ起こした感じにまでリクライニングされているみたいだった。みたい、というのは、つまりセンセイとぼくはつい立てのカーテンで上半身あたりまでを仕切られていて、だからぼくはセンセイの姿を見ることができなかった。エプロンの男性はそのつい立ての先に上半身を伸ばし、センセイの肩口あたりに手をおいて、ぼくから見たらちょっと乱暴に思えるくらいの強さでゆさゆさと揺すってから耳元に顔を近づけ、
「センセイ、あっちの患者さんだった人がいらっしゃいましたよ」
　と告げた。センセイは気づいたのか、ああ、とか、うう、とかそんなふうに薄い声を出したらしかった。
「あの、お休みのところ、すみませんでした」
　ぼくがカーテンの向こうに言うと、さっきの薄い声とは全然ちがった、テキストトゥスピーチの明快な自動音声が聞こえてきた。
「しごとは、なれた？」
「はい。つくるものが大きくなったので、大変ですけど楽しいです」
　ぼくはあそこを出てから、家具の制作をしていた。以前カプセルに詰めていた小さな椅子や戸棚の、そのまま原寸大にしたものたち。そんな現実の世界を構成する本物たちをあつかうのは大変ではあったけど、あまりたくさんの人と接する必要がないのは変わらなかったからとても気楽だった。

エプロンの男性もそうだろうけれど、ぼくたちはいくつかのランダムな与えられたものから、いくつかのものを選択することで、前よりちょっとだけ良いやりかたで生きていけるようになりつつある——いまのところ。
「こっちのせかいは、どう」
と、また声が流れてきた。
「まだなんかちょっと、ふわふわしています。映画とかで言うような、シャバだ、バラ色の自由だーっ、てのはなくって、でも」
前みたいな、八方ふさがりのどうしようもなさは嘘みたいになくなっていた。あまりにも嘘みたいで、だからまだ信用しきれていない。これは今、たまたまうまいこと施設を出てからここまでハズレを引き当ててないだけだ。明日の朝、いや、もう次の瞬間にとんでもないハズレを引き当ててしまう確率がゼロでない以上、毎秒、ひどいこととの背中合わせの人生がこれからずっと続くんじゃないだろうか。
「うみ」
「え?」
「うみ、みえたでしょ。えのでんから」
「あ、はい」
「どうだった」
「想像より、海ーっ、て感じでした」
「なんだそりゃ」
「いや、もっと遠くに見えるのかと思ってたら、いきなりすごく近くに海があったから」
「そっか。いけなくって、ごめんね、うみ、いっしょに」
「あ、いや、ぼく——なんか、ごめんなさい」
「ぐあいがよければ、くるまいすで、いけるんだけどなあ」
ベッドの横に、畳まれた電動のチェアがある。たぶんすごく最新式のものだ。手すりの操作パネルのところにキーホルダーがついている。樹脂製の、よくできたミツユビナマケモノのミニチュアだった。これは大きさから考えてきっとカプセルトイとして売られていたものだろう。たまたまそのカプセルに入り転がり出て、センセイの所にたどりついたのだろうこの樹脂の塊の形は、まるでセンセイが人生の中でじっくり考えて選びぬいたみたいに、センセイの姿にふさわしい気がした。

ぼくのポケットに入っている家のカギには、ミニチュアの燭台がぶら下がっている。ナマケモノも燭台も、ほんとうは同じただの樹脂の塊で、本来の役割は果たさないものだ。

アイコンというのは、ラテン語のイコンに由来する。主に正教会で聖人の姿をうつしたイコンは、多くの人の心に光を当ててきた。だからぼくたちはきっと、これらの似姿、つまりアイコンに希望を抱いているんだ。

「うみ、きれいだったでしょ」

「はい。—— いや、でも、正直なところまだ、あんまり、きれいとかそういうのはちゃんとわからないです」

「せかいのぜんぶは、まあまあきれいだよ。へんなものも、ひどいものも」

ぼくはこの、センセイの言う“まあまあきれい”な世界の舞台から、センセイがさっさと降りてしまうようなことがないといいなと思った。

強く。

# AFTERNOTE

ワークショップはとても刺激的なものでした。誰かに教え／教わるといった一方通行でも、対話でもなく、同じ方向をむいてその答えを各々が探ることは鮮やかな経験でした。ここでの対話で得た、出会いのランダム性について多くの思索を刈り込むことに苦労したかもしれません。

**高山羽根子**

たかやま はねこ／1975（昭和50）年、富山県生まれ。2010（平成22）年、「うどんキツネつきの」で創元SF短編賞佳作、2016（平成28）年、「太陽の側の島」で林芙美子文学賞を受賞。2020（令和2）年、「首里の馬」で芥川龍之介賞を受賞。著書に『オブジェクタム』『居た場所』『カム・ギャザー・ラウンド・ピープル』『如何様』『暗闇にレンズ』などがある。

THE NORTH FACE

## Story 3.

5年前、ビジネスマッチングの効率化・最適化を推し進めた——いわゆる経済特区的存在である——G国に移り住んだ「わたし」は、ある日突然、G国のメタバース公共圏にて運用していた274体のアバターを、当局によって活動停止にさせられてしまう。原因は、一度も会ったことがない父にあり、しかも父は、常識的な感覚に照らせば「もうこの世にはいなかった」。どうやら父は〈著作権人格〉なるものを有しており、市民として各種の権利をもち、経済活動すら行なえる存在だという。そんな父との接触を試みるべく、〈出会わせ屋〉の力を借り、「わたし」はある小さな観光立国を訪れた……。

人間の定義がどれほど変わっても、あるいは、人間という呼び名が意味をなさなくなっても、ある存在とある存在のあいだに、出会いという現象が起こりうることは変わらない。そんな、出会いの意味、価値について綴られた物語。

Synopsis

# 世界の外で会うために

Outwhere, Anythere

倉田タカシ

Takashi Kurata

疲れていませんか、と問われ、反射的にいいえと答える。もちろん疲れていた。

おのれのささやかな好奇心に十分に高い値を払ったつもりだったが、さすがに、大気の外に弧を描く駿足の旅客機のために桁をふたつ上乗せする気にはなれなかった。その結果、客の寸法もとらない汎用座席に嵌め込まれての九時間、うち八時間はウェブから遮断され、眠れたのはせいぜい三十分。かくして、疲れ果ててこの待ち合わせ場所に腰を下ろしている。空港ビルの飲食店街にある小さな一軒だ。

ヘルスケアAIは、疲労は心因性のものだと説明した。つまり、肉体的に長距離を移動しなければいけないという精神的緊張が体のこわばりを引き起こし、旅客機の座席のやさしさをもってしてもほぐせなかったのだという。どこまでがジョークなのかわからない。

AIの冗談はさておき、飛行機に乗ったのはG国への移住のときが最後だから、五年ぶりということになる。たった五年、と、むしろ年数の少なさに驚く。はるかに昔のことに思えた。

テーブルをはさんで座る待ち合わせの相手は、わたしの旅疲れを気遣いつつ、自分のほうはただ隣の部屋から歩いてきただけのように見えた。この人物もB国に構えた物理的オフィスからの長距離旅行でここへ来たはずだが、こういう移動を日常的にやって慣れているのだろう。

この人物が営み、いまわたしがその客になっているのは、〈出会わせ屋〉というビジネスだ。打ち合わせではふたりと話したが、ここにはそのうちの若く見えるほうが来て、二回りほど年配らしいもうひとりはその肩に小さいARの姿で立っていた。ひとりで来るクライアントに対してフィジカルが二名ではストレスが大きすぎるという判断だろう。それは評価するが、ふたりともARであってもこちらとしては一向に構わなかった。生身の人間はディテールが過剰で、向かい合っているだけで疲れてしまう。

その年配のほうが口をひらいた。

「ここには何度か来たことがありますけど、料理がとても美味しいんですよ」

そういわれて、あらためて店内をみわたす。壁はたくさんの字で埋め尽くされている。〈Sansan〉という六文字だけが読めた。入り口の看板にもあったこれが、店の名前のようだ。あとはすべて、城塞の見取り図のような形をしたアジアの文字だ。出す料理もおおむねアジアのものらしい。二世紀まえからこのままの姿で営業を続けていたように見える。メニューがARですらないのは、流行りの脱アメニティなのか、ただ昔からそうなのか、判断しかねた。

この国の財政は観光収入で成り立っているという。人口は減少し続けていると聞いた。近年は世界的に減少傾向ではあるが、特に減りが早いらしい。

若いほうの出会わせ屋は、ふりかえって店員に合図してから、こちらに笑顔をむけた。

「これから特別な体験をするんですから、コンディションを整えてから行きましょう」

「ドラッグ?」

「糖」

発端は、アバターの凍結だった。

わたしは五十二体を直接運用していて、そのうち十四体には下位アバター運用権がある。つまり、アバターが独自に自分のアバターをつくり、動かせる。それら下位アバターについての責任もわたしにあるから、わたしのアバターは合計して二七四体ということになる。ちかごろは増やしすぎないよう心掛けているので、この程度だ。

これらのアバターが、すべて活動を強制停止させられた。進行中の数百のビジネスに影響が出た。

アバターのふるまいについて国から警告を受けたことなら何度もあり、それはG国に暮らしていればごく普通のことだし、アクティビティの強度という観点からは喜ばしいことですらあるが、凍結、しかも所有する全アバターが対象となるとただごとではない。初めて解除の申し立てをすることになった。そして、驚かされた。

わたしのものではないアバターが、わたしに紐づけられていた。

「その謎のアバターが、なにか罪を犯したということですか?」

打ち合わせで、年かさのほうの出会わせ屋に訊かれたとき、わたしはこう答えていた。
「ある意味で、最大の罪を犯したといってもいいですね」
「なにをしたんです？」
「なにもしなかったんです。出会おうとしなかった。ゲームに参加しなかった」
　その謎のアバターは、一切のインタラクションを避け、ただメタバースをぶらついていた。
「一種の特異点だったわけです」
　自己開示マーカーを不完全にしか掲示せず、他のアバターからの打診には応答せず、しかし、G国のメタバース公共圏に配置と行動を許されるだけの仕様は満たしていた。
　ちょっとガン細胞を思わせますね、と出会わせ屋はいった。
「増える気配はありませんでしたけどね。でも、システムの警報をいっせいに鳴らした」
　他国のアバターや、他国のビジネスパートナーのVR投影イメージも、G国のメタバース公共圏に存在を許されている。接続元の秘匿も通常はよしとされる。問題のアバターもそういった外部からの客だとすぐに判明し、当局にスキャンされ、接続元も判明し、素性が部分的に明らかになった。
　アバターを走らせていたのは、ある歴史の古いクラウドコンピューティングサービスで、アカウントはわたしの父のものであると判明したのだった。だが、問題の父の所在はわからなかった。
　無害であると判明し、問題のアバターは削除され、わたしのアバターたちは凍結を解かれた。
　わたしは父の捜索を〈出会わせ屋〉に依頼した。
　結果はすぐに返ってきた。
　父は、わたしの常識的感覚に照らせば、もうこの世にはなかった。
　ところが、ある小さな国の法律では、父はいまもそこの市民であり、各種の権利を有し、経済活動すら行えるとされていた。その国で、父は〈著作権人格〉なるものを持つ存在なのだという。

かくして、いまわたしは父がいるというその国を訪れている、しかし、その“いる”とはどういう意味なのか、いまだによくわかっていない。

年かさの出会わせ屋がいった。

「あのとき、あなたのスコア回復にはけっこうな時間がかかりそうだとおっしゃっていましたが……」

「そうですね、まだ下がったままです」

おおごとでなかったとはいえ、G国のビジネス圏におけるわたしのスコアは目に見えて下落した。数か月かけて地道に取り戻していくしかない。もとの水準まで戻せるかどうかにはやや不安がある。

「こちらに来られているあいだは、ほかの方にアバターの管理をまかせてらっしゃるんですか？」

「いえ、じつは、いまも見ています」

出会わせ屋のふたりには黙っていたが、この店に着いてからずっとわたしはアバターたちの活動を見ていた。ARを介して、店のテーブルの上にいつもの雑踏をひろげ、情報を整理・変換されたアバターたちのインタラクションを意識の底で追っていた。

わたしの管理下にあるアバターのほぼ全員が、小指の一関節ほどの背丈の立体像として表示され、いまそれぞれがかかわっているビジネスや、進行中の出会いについての情報を、抽象的な形であらわしている。出会いの最中であれば、相手であるアバターも表示される。

わたしのアテンションを求めるアバターは、なんらかの方法でそれを示す。重要度や緊急度に応じてわたしが設定した通り、こちらに向かって手を振る、旗をかかげる、服の色を変える、顔だけを浮かび上がらせ、しかるべき表情で目配せするなど。それらを受けて、指先の小さなジェスチャーで、いくつかのアバターにサジェストを送ってもいた。

さいわい、機中で接触を断たれていたあいだに、大きな問題や、わたしの決断を必要とする局面はなかったようだ。

店員が小さな器を運んできて、テーブルに置くと、アバターたちが素早く位置を変え、現実の物体との重なりをさける。
　店員は穏やかな笑みを浮かべ、なにか話した。
　翻訳アプリを思い出して起動しようとしたが、店員の胸元に飾られた花が、いま店員が発したのと同じ声でわたしたちの言葉を話した。
「どちらから来られましたか」
　G国です、とわたしが答えると、店員は笑顔のまま、はじめて聞く名前です、といい、優雅に一礼して去った。
　わたしは若い出会わせ屋にたずねた。
「ここはそんなに僻地なんですか？」
　出会わせ屋は苦笑して肩をすくめ、
「もちろん、あの店員はG国を知ってると思いますよ。なんていうか……あの人の世界像を示したってことですかね」
「ああ……」
　年かさのほうがやや気づかわしげに、
「客にたいしてずいぶん無礼だと思われたかもしれませんけど、どうか許してやってください」
「ああ、いえ、気にしていません」
　実際、べつに腹は立たなかった。なかなか面白いと思った。
　器からひとさじ口に運んで、強い甘さに驚く。若い出会わせ屋がわたしの顔を見て、
「見た目は古いですが、このあたりでいま主流の、食べても血糖値がスパイクしないやつです。カプセル化して、カロリーの吸収をゆるやかにしてあるんですよ。味覚のほうはフェイク分子です。これ特有の味を嫌う人もいますけどね」
　ヘルスケアAIが、どのみち味覚情報が代謝系をだますのでよくないというようなことをぶつぶつとぼやいたが、気にしないことにした。
　舌の上に鮮烈な異国の味がひろがる。ここがG国からいかに遠いかを思う。定員の言葉を反芻する。G国、はじめて聞く名前です。
「アバターの自由って、どこまで許されてるんですか」と若いほうがきいた。

「だいたい実人間と同じですよ。存在できる領域に制限はあるけれど、その領域のなかでは基本的になにをやってもいい、他者を傷つけないなら」
「アバターたちは嘘をついてもいいんだとききましたが……」年かさのほうがそうたずねた。
わたしは笑わずにいられなかった。すみません、と詫びて、
「すごく単純化して、誇張していうなら、そうです。でも、要するに、それは未来をどう扱うかの話でしかないんですよ」
ARの小さな顔のなかで眉を疑問の形に上げた相手に、
「アバターたちには、まだ生起していない事象を扱うことが許されています。取り引きのなかで、それがすでに現実化しているものとして扱うことが必要になる局面があるからです。先物取引の拡張版みたいなものです」
アバターたちがメタバース上に立ちあげる多次元のビジネス空間の座標のひとつに、未来方向への深度(フューチャー・デプス)がある。この深度はときに数百年に及ぶこともあるが、それが特に大きな意味を持つわけではない。ビジネス空間それ自体の持続時間とも、特に関係はない。国外の取り引き相手に対して、ハイプとして用いられることはあるが。
年かさの出会わせ屋は感心した様子でうなずき、
「わたしには、アバターが嘘を許されるというのが、変な話ですが、なにかとても魅力的に感じられたんですよ。そこに新しい価値観の萌芽があるような気がして。そして、G国はかれらが市民として遇される国である、ということも……」
「そうですね。最近、法案が可決されました。すべてのアバターが無条件に対象になるわけではないですけれど、ある基準を満たせば、国民としてカウントされるようになります」
「どういうロジックなのでしょうか」
「経済活動を行えるなら、市民として扱ったほうが社会全体の強度が高まる、ということです」
「国力としてカウントできると」
「そうです。まだ弱小国家ですから、頭数が必要なんです」

G国を正当な国家として認める国はいまだに少数で、実体としては、A国・B国・C国という三大国の協定によって保護されている、一種の経済特区にすぎない。海上国家を自称するが、技術的な達成は多々あれど要は巨大な船でしかなく、領土と呼ぶには心許ない。とはいえ、〈国家〉の概念を刷新し、世界をつぎのフェイズへ突き動かした意義は大きく、その勢いで〈国民〉の概念も拡張しようとしているのだった。

テーブルの上で、プロジェクトがひとつ、十分なリターンを得られずに解散したのが見えた。それを担当していたアバターが、しかるべきサインをわたしに向かって送ったあと、向きを変え、位置を保ったまま、あたりを見回しながら歩くというアクションを始める。つぎの出会いを探している状態の模式的表現だ。いま終わりを迎えたプロジェクトの概要が、アイコンを詰め合わせた小さな吹き出しとなってゆっくり上昇していく。わたしはざっとその内容を確認した。計算資源の消費は少なめ、独自通貨の生成はなし、独自ルールの考案・継承もなし。国内アバター同士の出会いによる実体なしのプロジェクトで、参加アバターは五、持続時間は約十時間。平均より長いわりには実りがなかった。

父の〈著作権人格〉なるもののことを思い、きいてみる。

「わたしの父も、G国のアバターと同じような意味で、この国の市民権を得たということなんでしょうか」

父というべきなのか、父であったなんらかの存在というべきなのか。

年かさの出会わせ屋は、うーん、と唸り、

「同じなのかどうかは、ちょっとよくわからないんです。なにしろわたしは、G国のアバター文化のほうも、まだちゃんと理解できた自信がないんですよ」

そういって首を傾げ、苦笑するので、わたしも同意の笑みを返し、

「それは無理もないかもしれないですね。G国のなかだけで状況がずっと先に進んでしまったから、よその人にそれを説明しようとすると、まずG国のなかだけで成立した状況Aを説明し、そのあとで、Aを前提として成立した状況Bの説明をしなきゃいけない」

若いほうがうなずき、

「で、ここでのAとは？」
「G国が"出会い"の国だということです」
　G国は、ひとつのサービスがめざましく成長した結果として国家の形をとるにいたった、最初の、そしていまのところ唯一の例だ。
　ビジネスのマッチングを提供する場として、それはウェブサービスとして出発した。物理的距離に左右されないよう、当然メタバースの形をとったし、参加者はみな、そこへ自分の身体イメージを置き、VR機器を通して没入した。
「当初は、人間の情報処理能力に合わせた、のんびりしたサービスでした。順調に成長し、世界標準のビジネスツールになった。同じころ、G国の原型が生まれました。建国までの流れはご存じだと思いますが」
　ええ、と年かさのほうがうなずいた。
　さまざまな国から、自身の居住国の税制を嫌う人々が集まり、掘っ立て小屋じみた海上の建造物で建国を宣言した。富豪のエキセントリックな冗談と受け取られたが、経済的実験の場を欲しがっていた大国の思惑にうまく合致し、体裁はみるみる整った。海上都市も成長した。
　ここに、件の出会いサービスが呼び込まれた。サービスのアーキテクチャが、そのまま国家としてのG国のアーキテクチャになった。サービスが提供するメタバースが、そのままG国の公共圏になった。
「そこから、加速が始まりました。G国は、世界に先んじて、AIの行動制限を解きました。出会いの可能性をひろげるために、アバターをAI化して、独自の行動をとることを許したわけです。これはうまくいきました。G国のメタバースで立ちあがるビジネスは、たいていは物理的実体をともなわないものですから、時流に乗ったインタラクティブコンテンツを素早く制作し、短期間のバズで売り上げるというような、スモールビジネスを素早く立ちあげて素早く回収するのに向いていたんです」
　若い出会わせ屋がうなずいて、
「そのへんで、アバターの定義が変わったわけですね」
「そうです。そして、AI化したことで、アバターが出会いを代行するだけでなく、業務自体も行うケースが増えてきました。アバターの所有者とアバターたちの関係は、企業経営者と従業員のそれに近いものになってきたわけです。これが状況Aです」

そして、当初は実体のあるプロジェクトや契約の締結が行われていたのが、アバターたちの自主性を拡張していくにつれて、これまでになかったビジネスが立ちあげられるようになり始めた。アバターたちにしかわからない、かつアバターたちのあいだでのみやりとりされる付加価値を持った情報群があり、独自のルールで価値が変動し、独自のローカル通貨で取り引きされる。その価格変動を投機の対象とする者がG国外にあらわれる……。

「……これが状況Bです。わたしはBになってからの参入者です」

年かさのほうがいう。

「みんな電子的なチューリップの球根を育て始めたということですね、とてもとても単純にいえば」

「そういってもいいでしょうね。ただ、市場崩壊をふせぐ仕組みは何重にもほどこされています。一方で、価値変動の激しさ（ボラティリティ）は、ブロックチェーン時代の仮想通貨とくらべてもはるかに大きいです」

「で、実際のプレイヤーは人間ではなくアバター、AIであると」

「そうです、だからとても速いし、天文学的な試行数です。アバターの所有者がするのは、アバターの性質をデザインし、行動指針をつくり、必要に応じて制御する、ということです」

「それをうまくできる人はスコアが高いんですね」と若い出会わせ屋がいう。

「ええ」

「あなたのようなアバター所有者に投資する人もいるのでしたっけ」と年かさのほう。

「おもにABC三国の人間ですけど、アバター使用者に投資するし、個々のアバターに投資するし、アバターたちのプロジェクトにも投資します。いろいろなベットの仕方があります」

「競馬でいえば、レースだけでなく、馬にも馬主にも賭けられるというような……」

わたしはうなずいた。
「オンラインカジノと本質的には同じだと揶揄する向きもありますね。現状、それはあながち間違いではないです」
「この先、どうなるんでしょうか」と若いほうがきいた。
「敏い人は、もう出口を考え始めてます。状況はどんどん加速しているけれど、どこか硬い地面を探して降りるべきか、このままどこかへ飛んでいくか……」
「硬い地面？」
「つまり、この壮大な社会実験をスローダウンして、当初のように現実的なビジネスに戻す必要があるかもしれないと考えている人が出始めてるんです。近いうちに破綻をきたすだろうと、有名どころのシンクタンクが相次いでデータを公表したことが大きいんですが。この公表をＧ国への攻撃とみなす人たちもいます」
「あなた自身はどう思われますか」
「Ｇ国がどうなるにせよ、わたし自身の出口を探さなければいけないとは思っています。ここからはどんどん格差がひろがっていくだろうし、自分が上位にとどまっていられる見込みは薄いので……」
「また新天地を探すことに？」
「そうなりそうですね。まあ、安定は死ですから」
わたしの言葉をきいて、若い出会わせ屋は破顔した。いかにもＧ国の人間が口にしそうなフレーズを漏らしてしまったのに気づき、少々気恥ずかしかった。
透明なポットの注ぎ口が光り、ハーブティらしきものの飲み頃を知らせた。ポットを持ち上げると、テーブルにできた空き地をすぐにARのアバターたちが埋める。
わざわざ自分で茶を注がなければいけないのが、この店にふさわしく思える。なつかしさを覚え、それをたぐった先に、ひとつの顔があらわれた。
わたしに茶をいれてくれた手。母との最後の思い出だ。
ぽつぽつと浮かんでくる記憶を眺めながら、茶を口に含む。これもまた未知の味だ。
カップを置きながら、若い出会わせ屋がいう。
「でも、あなたにとっては、きっといまのＧ国の住み心地はいいんでしょうね」

わたしはちょっと言葉につまり、眉を上げ、肩をすくめた。
「なんというか……住むという言葉はあまりしっくりこないです。住むという、概念というか、物理的現実から遠ざかるためにあの国へ行ったようなものだから」
若い出会わせ屋はさらにたずねた。
「なかなか、生身の人間と会う機会がないんじゃありませんか？」
「そうでもないですよ。パーティはよくやります」
どんなパーティなのかが伝わっていないかもしれないと気づいた。性欲の抑制はG国の流行りではない。ホルモン分泌の過剰な操作はビジネスの勘を鈍らせると信じられている。そういったことを詳しく説明しそうになったが、とどまった。
わたしのためらいを察したか、若い出会わせ屋はやや申し訳なさそうに、
「すみません、商売上、いろいろお訊きする必要もあるので……」
気にしていないと身振りで示しつつも、わたしは浮かんだ疑問を口にした。
「出会いの直前になってクライアントをプロファイルする意味ってあるんでしょうか」
意外にも相手は強くうなずき、
「あります。そうしてわかったことをもとに、土壇場で出会いのシチュエーションを変更したことも少なくないですよ」
「へえ……」
若い出会わせ屋は可笑しそうに、
「あなたはご多忙だったし、いろいろ教えていただく前に尋ね人が見つかってしまいましたからね。今回は、見つけるのがとても簡単だったんですよ。そもそも例のアバターが、いってみれば招待状ですから」
捜索に数年かかることもめずらしくないという。いまも、数百件の「出会わせ」案件を並行して進めているのだとか。
年かさのほうが質問役をひきついで、
「お父さんと同居していた時期はなかったんですよね」
「そうです。父は限定的な親権を持ってはいるけれど、わたしが生まれたのは、父が母とパートナー関係を解消してから三年後だったので」
ふたつの怪訝な顔を受けて、説明する。

「母が子どもを持つと決めて、そのときにはもう別の国で暮らしていた父に依頼したんです。遺伝情報を提供してくれと」
「よく同意しましたね」と若いほう。
　わたしは肩をすくめ、
「当人たちにどういう考えがあったのかはわかりませんが、わたしのいた国ではよくあるケースです」
「その後は、お母さんと一緒に暮らしていた？」
「ほとんど一緒ではなかったですね」
　離乳期まではそれなりに一緒だったはずだ。あとは成人まで、おもにコミュニティに育てられた。
　年かさのほうが興味深げに腕を組み、あごに手をやる。
「なるほど。わたしは旧世界の人間なもので、両親との暮らしを持たないというのがとても不思議に思えるんですよ」
「わたしたちの世代はだいたいみんなそうです」
　両親の負担を減らすためでもあり、両親からの悪影響を薄めるためでもある。いまのわたしは、そのデメリットも知るようになったが、ともかくそういう社会で育ったのだった。
「子どもはみんな寮で暮らす？」
「年齢にしたがって変わります。個室を与えられたのは十歳からです。十六からは独立した住居を数人でシェアしました」
　母とは、二十五歳のとき、ひと月ほど一緒に暮らした。
　Ｇ国へ発つ直前に。
　たしか、母の希望でそうしたのだと思う。
　一緒に暮らしたといっても、同じ家にいる時間は少なく、数日に一度、一緒に食事をしたり、お茶を飲んだりという程度だ。このとき、わたしはＧ国移住の最終審査と、各種手続きに忙殺されていた。
　最後の日の午後、庭のテーブルでささやかな茶会をやった。
　なんの話をしたのか、もう覚えていない。

茶を注ぐ母の手はよく覚えている。

わたしが空港へ出発する時間になり、席をたつと、母は、ちょっと芝居がかった手つきでテーブルクロスの端をつかんで、思わせぶりに間をおいたあと、勢いよく振り上げた。

すると、テーブルのうえにあったものは、魔法のように消えてしまった。

それから母は、テーブルそのものをつかみ、同じように中空へ放り投げた。

重さをまるで感じさせない、のびやかな身のこなしがわたしの目に焼きついた。

白いテーブルは、ありえないほどの高さへ舞い上がり、空中でふわりとほぐれて、たくさんの白い鳥になり、飛び去った。わたしは言葉もなくそれを見送った。

いまだに、あれがどういうトリックだったのかわからない。ただ、母があの茶会をひとつの儀式にしたかったらしいことはわかる。

「生まれてくれてありがとう。幸せになりなさい」

記憶のなかで、母もこの言葉を最後にいなくなった。歩き去る背中も見せずに。

いま思い返せば、あれは母にとっても旅立ちだったのだとわかる。そして、どこへ旅立っていったのかをわたしはいまも知らずにいる。

母も、あの日に、わたしと同じくらい、軛を解かれた喜びを味わっていたのだろうか。それは、母にとっては、ひとりの人間をつくり、世に放つという長い責任からの解放だったのかもしれない。

父の“体験”を提供している地点まで、少々長い道を車で移動した。

道中、ARはカットせよと指示されていた。この移動も体験の一部だということらしい。車はほとんど揺れなかったし、自分の脇のシートにアバターの雑踏をひろげたいという衝動は強かったが。

わたしの好奇心が出会わせ屋たちに向いた。

「この商売を始めたきっかけはなんですか」

若い出会わせ屋は、ちょっとうれしそうな顔になった。

「わたしが、」と肩に乗った年かさのほうを指さし、「この人を焚きつけたんです」

指さされたほうは笑って、

「早期リタイアしていたのが、引っ張りだされました」
　当初は、人探しはサービスに含まれていなかったのだという。
　メタバース上でアイデンティティを隠蔽した状態での付き合いをずっと続けてきた人々に、オフラインでの面会の場を提供する、というのが立ちあげ当時の提供サービスだった。
「切断主義という言葉がありましたよね。わたしはアンチ切断主義なんです」
　その言葉には覚えがある。ネットワークがあらゆるものを密につなぐ現代において、すべての人々はすでに互いに“出会って”しまっている、切り離せない関係を当人たちの意思に反して結ばされてしまっている、という通念があり、それに対して、いかに断絶を確保するかに腐心する人々があらわれた。たいていは富裕層で、各種サービスにプライバシーを盗まれないような手段に金を惜しまないようになった。
「でも、実際には、わたしたちはバラバラです」
　匿名性のマスクをつけたままオンラインでやりとりするのでは、相手と会っているとはいえません。そう若い出会わせ屋はいった。
　サービスは好評を博した。メタバース上の投影イメージでしか知らなかった友人知人、あるいはビジネスパートナーと、初めて現実の肉体を持った人間同士として対面するのだ。お互いに物理的に大きく離れたところに暮らしているケースが多く、長い距離を旅して一堂に会するのはいっそう劇的で、祝祭感があった。
　やがて、いまは連絡の途絶えてしまった人に会いたいという依頼が舞い込むようになった。
「ここに至って、わたしたちは世界の広さにあらためて気づかされたんです」
　ふたりが相手にしてきたネットワークは、先進諸国の小さな集まりだけをカバーする、小さな網でしかなかった。だれかの消息がわからなくなるというのは、たいていの場合、その人物がこのネットワークの外へ出て行ってしまったことを意味していた。
　捜索のために、ふたりは世界を飛び回るようになった。その土地だけの小さなネットワークが無数にあり、それらを知るには、物理的にその地へ行くしかない。そういう旅を繰り返し、結果としてふたりは世界の地図をつくり直していった。
　年かさの出会わせ屋がいう。
「戦争と気候変動で、世界は引き裂かれて散り散りになりましたよね。困るのは、情報空間もずたずたになってしまったことです。ワールドワイドウェブなるものはもう存在しない。余力を残すことのできた国は、持っていたものをかき集めて、みな内に閉じてしまいました」
　若いほうが言葉を継いで、
「でも、地球上のいたるところにたくさんの小さな情報圏があって、そこで新しいものが育ってるんです。助けを必要としている小さな世界がたくさんあります。わたしたちは、出会いによって、そして、出会い直しによって、すこしずつでも世界を縫い合わせようとしているんです」

「ここからですか」
　そうふたりにたずねたわたしの目の前には、一本の細い道があった。車を降りてからすこし歩いて坂を上り、小さな標識の立っているところまで来ていた。
　若いほうが答える。
「保安的にはクリアされているので、心配しないでください。荒れはてて見えるけれど、ここは巨大なテーマパークの一部なんですよ」
「転んだらすぐに起こしてもらえる？」
「たぶん、数分以内には。知りませんが」と相手も冗談めかす。
「あなたたちは同行しないんですよね」
「歩くスポイラーになりたくないですからね」
　ふたりは遠隔機で下見をしたのだそうだが、いまはただ真面目な顔で立っていて、ネタをばらすのを我慢しているような雰囲気はなかった。
　わたしは、細い道を歩き始めた。
　しばらくはなにも起こらない。ただ同じ道が続く。
　体験が開放型だったのは、少々予想外だった。密閉型の環境で、完全没入の主観視点で個人の体験をトレースする形式だろうと思っていたのだ。なにしろ、父という個人を体験に仕立てたものだというのだから。

開放型の体験の利点は、自分の足で歩いていった先で感覚の移行を味わえるところにあると思っている。それまでが確固たる地面の上だっただけに、強烈な現実崩壊の感覚がある。そういう意味で出来のよいものをいくつか知っている。

わたしは、そういった崩壊の瞬間をなかば予期して、ちょっと恐れつつ、足を進めた。

そして、自分が小さくなっていることに気づいた。

いや、小さくなった自分のほかに、大人の背丈の自分がふたりいる。三つの自分が重なって、それぞれが違う街を歩いている。

複数の事象が重ね合わされて同時進行する形式だ。ひところ流行ったが、体験者がたくさんの情報を受け取らなければならず、疲れさせてしまったり、重要な出来事を見過ごされたりしてしまうので、いまはあまり用いられないやりかただった。

だが、この体験は、それをなかなかうまくやっている。重ねてはあるが、切り分けが明瞭だし、体験者の注意をひく要素を全体としては少なめに抑えてある。

――まいったな、金がかかってる。

それが最初に浮かんだ考えだった。なぜだか、もっと素人くさい低予算の記録に出くわすような気がしてしまっていた。これは大きな制作会社によるプロダクションのようだし、それでいて大衆受けを狙ったけばけばしさがない。

三つの事象は、ある人間の、人生における三つの時期であると感じられるように演出がなされていた。

少年期と、青年期、そして中年。

少年の歩みには、立ち止まってなにかを眺めたり、とつぜんちょこまかと走りだしたり、子どもらしい落ち着きのなさがある。青年は、なにか考えごとをしながら、足早に進んでいる。中年は……青年と同じように速い足取りで、ときどき空を見上げている。

数十秒ののち。

三つの過去、三つの異なる街で、同じひとつの現象が起こった。
目の前の建物が赤い炎を飛び散らせた。
三つの爆風が、重なり合った三人のわたしを路上に叩き伏せた。

気づけば、また、最初に通った道へ戻ってきていた。
こういうところもよくできている、と思いながら歩いていくと、出会わせ屋たちの姿が見えてきた。
路傍の石から腰をあげた若いほうの顔には、なにか期待するような表情があるように感じられる。近づいていくと、肩に乗っている年かさのほうの顔も見分けられるようになった。その表情を探ろうとして目が合うと、相手はねぎらうような笑みを浮かべた。
すぐそばまで来たところで足をとめ、わたしは言葉に困った。
ふたりは待っている。
「じゃあ、戻りましょうか」
それだけを口にした。
しばらく、無言で坂を下る。
やがて、若いほうが静かにいった。
「あなただけが読み取れるメッセージがあるんじゃないかと思ったんですが」
わたしは、いま体験したものを思い返してみた。
あの冒頭の爆発から、どれほどの時間が経っただろうか。実際の時間より長く感じられるたぐいの体験だった。
爆発の直前までの落ち着いて整った雰囲気はそこから先にはなく、ひどく混乱した印象が最後まで続いた。それらをひとことで要約するなら、戦禍。
相手の質問に答えるかわりに、質問が口をついた。
「父は、戦場ジャーナリストだったんですか？　それとも兵士？」
「平和維持企業の広報担当だから、その両方ですかね」
「あれは実際の記録なんでしょうか」
「そうじゃないと思ったほうがいいように思います。エッセンスを抽出して再構成したものでしょう」
「本当にひどいものは見せないようにしてありましたね」
　年かさのほうがそう付け加えた。
「よくできていると思いました」とだけ答えた。
「そうですね、忘れがたいです」と若い出会わせ屋。
　もう一度体験すれば、読み取れることがいろいろあるのかもしれない。だが、それをためらわせるだけの恐ろしさはあった。
「体験のなかにあった戦争は、この国で……？」
「この国だけではないようです。あとで資料をまとめてお送りしますよ」
「この国には、父のこの体験だけじゃなく、父の活動の記録もあるんですか」
「あります。おそらく、Ｇ国からではアクセスできないでしょうが」
　なるべく先入観なしに体験したほうがいいだろうと思い、下調べをせずにここへやって来た。いま、体験を終えて、わたしの頭は答えを待つ疑問ではちきれそうになっていた。
「著作権人格というのは、結局どういうものなんですか」
　若い出会わせ屋が笑みを浮かべ、
「これも、状況Ｂのまえにまず状況Ａを説明しないといけないケースですよね」
　そういって説明を始めた。
「まず、〈体験著作権〉というものがあります。この国はそれで外貨を稼いでいます。VR／ARの体験エンターテインメントのうち、特定の観光地や史跡などと結びついた体験を提供する権利を独占できるんです。再現の正確性など、権利取得のためにはいろいろと基準があるんですが、観光収入に頼っている国々が、バーチャルな旅行体験にインカムを盗まれたくないと考えて、始めたんですね」
「で、個人の体験にも著作権を付与するようになった？」
「そうです。そして、ここからが状況Ｂなんですが、著作権を有する個人の体験のセットに、人格を付与するということを始めたんです。法的に人間として扱うことにした、と」
「……それにはついていけない」

「わたしもです」と若い出会わせ屋はにやにやした。「でも、どうも、人間として囲い込むのが、いちばんうまく権利を保護できると考えているみたいなんですよ」
「それも、外貨を稼げるからですか」
「そうらしいです。G国でアバターに市民権を与えているのとも、ちょっと通じるものがあると思いませんか」
　年かさのほうの出会わせ屋がいう。
「この十年ほどの傾向なんですが、いろんな場所で、人間の定義がなしくずしに拡張されつつあるんです。それから、個人的に、いまはAIが完全な人権を得る時代の入り口だとも思っています。G国のアバターがもっと高度になったら、もうなんの留保もなく、人間として扱わざるを得ないでしょう。現状では奴隷同然ですからね」
　ちらりと苦い笑みを見せたあと、
「率直にいえば、わたしはこの潮流がどういう世界をもたらすかについて、興味をそそられつつ、不安を感じてもいます。怖いです」
　でも、と言葉を継いで、
「人間の定義がどれほど変わっても、あるいは、人間という呼び名が意味をなさなくなっても、ある存在とある存在のあいだに、出会いという現象が起こりうることは変わらない。そして、そこからなにかよいものが生まれることも変わらないと、わたしは信じてるんですよ」
「夢想家なんですよね」と若いほうが微笑み、
「そのとおり」と年かさのほうが笑う。

　わたしの脳裏には、一本の木が浮かんだ。
　系統樹。
　さまざまな種に分岐して複雑になってゆく生命の進化を、下から上、太古から現在へ、枝分かれして成長する木として描いたお馴染みの図だ。
　わたしは、よくこの系統樹を人間社会に置き換えたものを心に思い描いていた。そして、そのいちばん太い幹の先端に自分がいると信じていた。G国に属することがそれだと考えて、誇りに思ってもいた。
　いま、その信念はゆらいでいた。
　わたしの知っている世界の外に、膨大な未知の領域、理解不能な文化がひろがっているという、強烈な印象が心に刻まれていた。
　すこし幹を下って、過去から現在を眺めなおす必要があるのかもしれない。

「もうひとつ、依頼したいのですが……」
　わたしを見返すふたりの顔からすると、わたしがそういいだすことを予期していたようだ。
　どなたを、と年かさのほうに問われ、
「母を」
　出会わせ屋たちはうなずき、若いほうがいう。
「お父様のときほど簡単じゃないかもしれませんが、きっと大丈夫ですよ」
　母がどこへ旅立ったのかを知る必要があると、いまは思っていた。そこは、はたしてわたしの行ける場所だろうか。
　年かさのほうがいった。
「お父様のときにも伺いましたが、またあらためてプロファイリングをしたいと思います。まずひとつ質問させてください。いま心にお持ちの、お母様を探すいちばんの理由はなんですか」
　わたしは、深く息を吸った。
　いくつかの言葉が浮かぶ。父を探そうとしたときとは心境が変わっていた。父を探したことの意味もまた塗り替わっていた。
　憧憬——原始的で動物的な、肉親とのつながりへの。感傷——自分の、そして両親の過去に対する。負債——なにかはわからないが、それを抱えているという感覚。義務感——なんの？
　結局、父の捜索を依頼したときに伝えたのと同じ言葉に落ち着いた。それがやはりいちばん自分らしいと思えた。
「好奇心」

AFTERNOTE

ワークショップの最中に「あ、これ全部つながる」とひらめき、グループのみなさんが出したアイデアをすべてひとつの未来世界に投入しました。そのうえでさらに自分なりの飛躍を加えるのが、難しくも楽しいチャレンジでした。

倉田タカシ

くらた たかし／1971年生まれ。SFと言葉遊びを愛好する文筆家・漫画家・イラストレーター。2015年、第2回ハヤカワSFコンテスト最終候補作のポストヒューマンSF『母になる、石の礫で』で長篇デビュー。ほかに、大森望編《NOVA》シリーズや、SFマガジンなどで短篇を数多く発表している。主な著作に短編集『あなたは月面に倒れている』〈東京創元社〉ほか。

Interview #1

TEXT BY KAI KOJIMA
INTERVIEW BY KOTARO OKADA

# Interview_1

インタヴュー #1

## 「SF」と「人類学」を交差させ、多様な世界の在り方をプロトタイプする

小川さやか

文化人類学者

Sansanと行なった今回のプログラムには、SF作家のみならず
多分野の専門家もワークショップに参加し、議論を重ねていった。
そうした有識者のひとりである文化人類学者の小川さやかに
SFと人類学の視点から見えてくる
出会いとコラボレーションの未来像を訊いた。

**——小川さんは文化人類学者としてアフリカ諸国などでインフォーマル経済の研究をされてきたと思います。今回のプロジェクトのテーマである「出会いとコラボレーションの未来」は、文化人類学の視点から見たときにどのように変化すると考えていますか?**

個人の能力や階級だけが、コラボレーションの基準にならない世界が実現すればいいな、と考えています。わたしの研究室には、東インドネシアのスンバ島をフィールドに人類学的研究をしている学生がいます。彼によると、スンバ島では、社会的通貨のような交換財として馬を取り引きに使っているんです。

ここで面白いのは、特定の親族集団と婚姻関係を結び、権力と経済力を拡大するために馬を交換する際、結束を象徴するために「同じ毛色」「同じ毛並み」「同じ体格」の馬を一式揃えて贈ることが重視される点です。ただ、馬は自然でままならないものですから、現行の生殖技術では完璧に同じ毛色・毛並み体格の馬を産んでもらうことは難しい。
つまり、望ましい馬を手に入れるためには、他集団の馬と自分の馬を交配させて、欲しかった毛色の馬を手に入れる必要がある。ほかの集団とも贈与交換をして、馬をひたすらかき集めないといけないんです。

**——スンバ島の馬は交換財として機能しているにもかかわらず、その価値が不明瞭な状態なのですね。**

その"ままならなさ"こそが、この贈与交換ゲームを市場交換ゲームにスライドさせずに、維持・成立させる秘訣になっています。そこから考えたときに、善人でなければ痛い目に遭う、能力がなければ受け入れないという社会はどこか不自由に感じるんです。

スンバ島の社会のように、「もしかすると将来的に自分の利益になるかもしれないからコラボレーションする」というほうが、個人がいきいきと生活できるかもしれないと感じています。

**——実際に日本のような資本主義社会において、贈与交換ゲームを成立させることはできるのでしょうか。**
最近はブロックチェーンにより、貨幣のトレーサビリティを高めることができるようになっていますよね。この技術を活用し、先ほどのスンバ島の馬のように揃えることではじめて価値が生まれる貨幣なども実装可能ではないかと思います。まずは実証実験的に導入し、社会やコラボレーションの新たな形態を模索してみるのは重要だと感じています。

## 「偶然の出会い」の設計

**——ここからは、3名の作家のみなさんに執筆いただいたSFプロトタイピング小説を起点に「出会いとコラボレーションの未来」を考えていければと思います。**

どの小説も非常に面白く、こんな未来が本当に訪れるかもしれないと考えさせられる内容でしたよね。

**——高山羽根子さんによる小説「ランダマイズ・ヒューマン"A"」では、メタヴァース上での公平性をデザインするために名前や仕事、身に着けている服、通院する病院までがシステムによってランダムに振り分けられる世界観が描かれていました。「石**

**につまずいたこと」や「人とのミスコミュニケーション」までもが、“ガチャ”に失敗したと評される世界がそこには拡がっています。**

この物語を読んだときにまず思い浮かんだのが、リクルートワークス研究所主任研究員の古屋星斗さんによる書籍『ゆるい職場 若者の不安の知られざる理由』です。この書籍では、日本企業の労働環境がホワイトなものに変化しているにもかかわらず、若手社員の離職率はむしろ上がっていることを紹介しています。若者たちは「ここにいても成長できないのではないか」と不安を抱えるようになったそうです。

この書籍が指摘するように、多くの人々は、人間的に成長したり、理想の人物像になったりするために、苦労や努力を積み重ねることが大切だと考えています。アルゴリズムが個々人にとっての「幸せな人生」を定義して、それに向けて「出会い」の最適化を行なうことになると、すべての責任を「マッチングの精度」が担い、苦労や努力が評価されない社会が訪れてしまうかもしれません。

**——高山さんが“ガチャ”という形で描かれたランダム性は、そうした「マッチングの精度」に無意識で依存してしまう価値観が社会に敷衍することに対する、ひとつのオルタナティヴとして捉えられそうですね。アルゴリズムによって個々人の幸せが定義づけられる社会に向かわないために、わたしたちはテクノロジーとどのように向き合っていくべきだと小川さんは考えますか?**

アルゴリズムが人々の未来を支配しないためには、バグやノイズなどを活用しつつ「偶然の出会い」を設計することが重要だと考えます。ある日の「偶然の出会い」が、その先の未来を大きく変えたというのは珍しい話ではないと思います。

人生には予測できない可能性が拡がっていることを個々人が認知できること、人々が出会いの意味を主体的に考える余白を残しておくことが大切ではないでしょうか。

**——倉田タカシさんの作品「世界の外で会うために」では、もともとは自身の代理存在として「出会い」を代行していたアヴァターが、AIの搭載を許可されたことにより自律的に行動するようになり、商談から事務手続きまでの多様な業務を遂行できる世界観が提示されていました。**

現在の資本主義社会の延長線上にある未来だと感じました。倉田さんの想像する社会では、主人公が自身のアヴァターを複数所有し、それらと協業することで、現在の会社のような組織をつくっています。自分とは違う価値観を有する人々とコミュニケーションを取るのに大きなコストがかかるのは事実だと思います。

そのときに、自分と同じ価値観をもつアヴァターとともに経済活動を行なうのは、オペレーションコストも少なく、非常に合理的な考え方のように思えました。

**——ジェネレーティヴAIやチャットボットを駆使することで、より少人数で会社を運営で**

**きるようになりつつあることを見ても、ありうる未来だと思えてきました。**

ただ、このような組織は「脆弱性」が高くなるとも思います。会社経営において、ダイヴァーシティの担保は社会正義の一環として語られることも多いのですが、実際にはダイヴァーシティがある組織のほうが、経営的にも安定性があるのではないかと思います。

それに「協同組合型組織」や「DAO(分散型自律組織)」といった現在注目されている新たな組織形態も、多様な属性をもつ人々が自発的にコラボレーションすることによって、個人や社会への価値は最大化されるという考え方に基づいていますよね。インターネットにおけるエコーチェンバー現象のように、同じ価値観をもつ個人が集まることは分断や独善的な暴走を引き起こす可能性が高いと思うんです。

**——倉田さんの描いた世界観と同様に、藤井太洋さんによる小説「二千人のわたしたち」では、個人が複数のアヴァターを所有する世界が描かれています。**

そうですね。物語の主人公となったアヴァターたちは同じ人間を参照しながらも、独自の経験を重ねることにより、多様な価値観をもつようになる点が印象的でした。

このような「個々の人間が固有の人格をもち、経験や選択によりさまざまな人々のネットワークの結節点になっていく」という思想は、人類学者デヴィッド・グレーバーが『負債論』で指摘した「基盤的コミュニズム」を拡大する可能性をもっていると思うんです。

**——基盤的コミュニズムとはどのような考え方なのでしょうか?**

わたしたちは親しい友人同士なら、晴れの日もあるし、雨の日もあると考えて、失敗したり約束を破ったりしても何かあったのかもと友人が置かれた文脈に思いを馳せたり、その人らしさを考慮したりすると思います。でも社会やコミュニティ、企業、国家のような単位になると、急にそうした文脈から個人を切り離し、ルールや基準、契約に照らして業績や生産性、効率性などを計算するようになります。基盤的コミュニズムは、このような形で個々の人間を数値や貨幣に計算するのではない人格的な関係の基盤です。

わたしたちも「そこの醤油を取って」と言われたとき、この人に恩を売れば、後からこれだけの見返りがあるといった計算をしないですよね。いま必要な人にいまできる人がする。基盤的コミュニズムとは、即時的見返りによる均衡的な互酬を期待しない人間同士のかかわり合いでもあります。

わたしのフィールドワーク先のひとつでもあるタンザニアでは、このような世界観が存在しているのです。

**——タンザニアですか?**

タンザニアに行って驚いたのは、現地の人々が積極的に他者に親切にしたり、むしろ贈与したりするチャンスを探しているふしがあることです。その背景を調査してみると、彼／彼女らは将来自分がどうなるかもわからないから多様な人々に恩を売って貸しをつくっておこうという、生存戦略をもっているんですよね。

その際に、この人は将来成功しそうだから助けようという計算はしないのです。むしろ助けた相手がさまざまな人生を送り、それぞれ違う人間関係を築くことに賭け、どんな人間とも関係をもつことを重視する。

つまり、自分が助けた相手を自分の分身のように考えると、いろんなタイプの分身、いろんな人生をもつ分身がいたほうが、本体である自分の人生がどうなろうと安泰ですよね。

起業しようと思い立ったら先に社長になった分身が、農業をしようと思いついたら先に農家のなった分身が助けてくれますから。

**――自身も他人も経験や社会の状況によってどのようにも変化するからこそ、贈与を通じて関係人口を増やすことが、いちばんの生存戦略であるとしているのですね。このような関係性が、コラボレーションの未来に与える示唆とは何でしょうか？**

そうですね。もちろんこのような経済指標に基づかない「賭けとしての贈与」といったコラボレーションのみで社会が成立するとは考えていません。重要なのは、このような考え方と資本主義的な世界観のバランスを取ることだと考えています。

近年の社会では、仕事から趣味までをオンライン上で完結できるようになったことで、「つながりの希薄化」が起こっています。そして、その裏返しとして「地域コミュニティ」や「ネイバーフッド」という言葉があらためて注目されるようになりました。一方で、個人に注目してみると出会いに煩わしさを感じる人は多く存在していますよね。

つまり、人々の求めているのは、自分が危機に瀕しているときには支えてくれて、それ以外のときは淡白でもいいという非常に都合のいい「つながり方」ではないかと思うんです。そのような人々の根源的な欲求を認めて、両者のバランスを取る。トライアンドエラーを繰り返しながら、経済生産を優先するのか贈与なのか、個人や土地に即した「コラボレーション」や「出会い」のかたちを考えていくことが大切であるはずです。

## 交差する「SF」と「人類学」

**――最後に、今回のプロジェクトに参加して「SFプロトタイピング」という手法に対してどのような印象をもちましたか？**

「実現可能性」や「短期的な価値創出」といった制約をすべて取っ払い、ありたい未来を考えるのがユニークだと感じました。また、SFプロトタイピングは、人類学とも相性のいいアプローチだなとも思いました。

**――どのような点で相性のよさを感じたのでしょうか？**

SFプロトタイピングでは、SF作家の方々が豊かな想像力で描いたSF小説を起点に、未来の可能性を探索していきます。ただ、どれほど物語が素晴らしいものであっても、未来を想像することが習慣化していないわたしたちは、現代の常識や自分のもつ価値観にとらわれてしまう側面があります。

そんな思考のフレームを外すきっかけとして、人類学のアプローチが有効だと常々感じているんです。本を読むだけではわからないけれど、時には喜びを分かち合ったり、時にはコミュニケーションの失敗をしながら他者とかかわることで、はじめて理解できる社会や価値観が多く存在する。フィールドでの交流や観察を通じて、他者のコンテクストを身体知として学ぶことで、自身の常識の“ままならなさ”を体感できるんです。

SFと人類学のアプローチを交差させて、多様な世界の在り方をプロトタイピングしていくことで、真にオルタナティヴな世界をつくっていけるはずです。

おがわ さやか／文化人類学者
立命館大学大学院先端総合学術研究科・教授。1978年生まれ。京都大学大学院アジア・アフリカ地域研究研究科一貫制博士課程指導認定退学。博士（地域研究）。専門は文化人類学、民俗学（アフリカなど）。国立民族学博物館機関研究員、同助教、立命館大学先端総合学術研究科准教授を経て現職。主な著書に『都市を生きぬくための狡知』（第33回サントリー学芸賞受賞）『「その日暮らし」の人類学』『チョンキンマンションのボスは知っている』（第8回河合隼雄学芸賞および第51回大宅壮一ノンフィクション賞受賞）。

TEXT BY KOTARO OKADA, SION ASADA, HIROYUKI NAKAYAMA

いざ実践！

# SF Prototyping
# Workshop

## SFプロトタイピング：ワークショップ編

SansanとWIRED Sci-Fiプロトタイピング研究所による約1年に及ぶワークショップでは、具体的に何が実践されたのか？　そのプログラムのなかから「仮説」と「科幻」のステップを取り出し、みなさんに体験いただけるようにカスタマイズした特別プログラムを掲載！「出会いとコラボレーションの未来」をテーマに、ぜひ取り組んでみてください。

※ワークシートは左の二次元コードからダウンロードできます。A3用紙に印刷するか、オンラインホワイトボードに貼ってご活用ください。

### Index



### Preparation

- □ 印刷したワークシート
- □ 模造紙もしくはホワイトボード（オンラインホワイトボードでもOK！）
- □ 太めのサインペン（付箋記入用）
- □ ボールペン
- □ 付箋（75mm × 75mmがおすすめ）
- □「世界観拡張カード」（巻末収録）

# Introduction

イントロダクション

**POINT** ここではWIRED Sci-Fiプロトタイピング研究所が実践している【「準備」→「仮説」→「科幻」→「収束」→「実装」】という各ステップのなかでも、特に「仮説」と「科幻」にフォーカスし、アイデアの発散から、実際に400文字のショートショートを書くプロセスを体験してもらいます。とはいえ、いきなり「ワークショップに取り掛かってください」と言われても、何から始めたらいいのか迷ってしまいますよね。そこで「イントロダクション」のパートでは、実際のワークショップに入る前に、SFプロトタイピングの進め方や心得についてお伝えしていきます。

# Navigator

ナビゲーター

**浅田史音** Sion Asada

デザインリサーチャー

ファシリテーション型コンサルティングを行なうMIMIGURIなどで活動するデザインリサーチャー。東京大学生産技術研究所のDLX Design Labで最先端の工学技術とデザインのコラボレーションプロセスを探索した後、SFプロトタイピングを含むスペキュラティヴなデザインプロジェクトに複数関与。XRクリエイターの顔ももつ。

**岡田弘太郎** Kotaro Okada

編集者

『WIRED』日本版エディターとして、雑誌の編集、カンファレンスの企画・モデレーター、SFプロトタイピングのプログラム開発などを担当。そのほかの活動に、一般社団法人デサイロ代表理事、クリエイティヴ集団「PARTY」パートナー、企業の編集パートナー、アーティストマネジメントなど。慶應義塾大学でサービスデザインを専攻。

**中山裕之** Hiroyuki Nakayama

ビジネスプロデューサー

「未来の体験を社会にインストールする」をミッションに掲げるクリエイティヴ集団「PARTY」のビジネスプロデューサー。企業や商品のブランディングを得意とし、広告コミュニケーションをはじめ、サービス・商品開発、コンサルティング、プロジェクトマネージメントなどの領域を横断しながら、日々、新しい体験づくりを模索している。

TALK ROOM

こんにちは。WIRED Sci-Fiプロトタイピング研究所の岡田です。ここからは、ワークショップの現場でプログラム開発を担当している淺田さん、中山さん、ぼくの3名がナビゲーターとなりながらワークショップを追体験してもらいます。

わたしはワークショップの設計やデザインを中心に担当、岡田さんが『WIRED』日本版編集部の視点から参加、中山さんがPARTYメンバーのクリエイティヴの視点から参加……という役割で一緒にプログラムをつくっています。

いつも侃々諤々の議論を繰り拡げているよね(笑)。

はい(笑)。今回は短く要点を伝えていきたいので、そのエッセンスをうまく抽出していきましょう! ちなみに「SFプロトタイピングって何?」という部分は冒頭(p.026)で小谷所長が説明してくれているので、本パートに取り組む前にぜひ目を通してみてください。

そこでは実践における5つの視点が説明されているけれど、やはり『WIRED』日本版として大事にしているのは「Futures(複数形の未来)」の視点ですよね。

そうなんです。SFプロトタイピングは「未来予測」のツールではなく、まだ描かれていない未来の可能性を拡張し、一人ひとりの個人が未来を描けるように民主化するツールです。

ぜひチームで取り組んでみてください。会社のチームや友人、趣味を共有している仲間など、「一緒に未来を描きたい」と思う方々と実践してもらいたいです。異なる視点や価値観をもつ、目的を共有している仲間と取り組むことで、より複数形の未来を見つけることが可能なはずですから！

では早速進めていきましょう。まずは「準備」のフェーズを経て浮かび上がったテーマの説明をします。今回Sansanとは、「出会いとコラボレーションの未来」をテーマにSFプロトタイピングを実践しました。その具体的な概要文がこちらです。

**THEME**

**出会いとコラボレーションの未来**

**「出会いのデータベース」を構築した先に待ち受けているもの**

イノベーションや大きな社会的インパクトのためには、最適な仲間とのコラボレーションが欠かせない。『WIRED』創刊エグゼクティヴエディターのケヴィン・ケリーは、デジタルテクノロジーが進化した先にやってくるのは、「100万人がリアルタイムにコラボレーションする未来」だという。
“最適なひとり”とのコラボレーションは、スタートアップの共同創業につながるかもしれないし、もし100億人がコラボレーションできれば、地球をコモンズとして共同管理し、差し迫っている気候危機に対処することもできるだろう。そのような社会を支えるビジネスインフラを構築できるのは、「出会いからイノベーションを生み出す」をミッションに掲げ、「世界中の人脈を丸ごとスキャンして、新しい人生の交わりをデザインする」ことに挑んでいるSansanにほかならない。
「出会いのデータベース」が構築され、世界中の人々がつながる時代がやってきたとき、「出会い」や「人脈」、あるいは人々が所属する「会社」は何を意味するようになるのだろう？　ひとりから100億人まで、さまざまなレンジでの「コラボレーション」の未来像を考えることで、「出会いのデータベース」を構築した先に待ち受ける文明論的インパクトを明らかにする。

Sansanが掲げるミッションは「出会いからイノベーションを生み出す」。だからSansanのプロダクトを通じた「出会いやコラボレーション」が、未来ではどう変化するのかを描いてみることになったんだよね。

研究所では、クライアントのヴィジョンやミッション、あるいは保有しているテクノロジーを踏まえながらも、「その企業が取り組むべきか」「社会的に重要か」「SFプロトタイピングを用いて長期的な変化を考える意味があるか」といった観点から、クライアントごとにテーマをカスタマイズして設定しています。

「長期的な変化」の観点は重要です。SFプロトタイピングでは30年、50年以上先の未来を描くからこそ、足元の変化ではなく、長期的な社会のパラダイムシフトを考えようとする視点が大切になってきます。

とはいえ、いきなり「2060年や2070年の未来を考えよう」と言われても難しいですよね。なので、今回は「出会いとコラボレーションの未来」を考えるうえで参考になるSF作品リストをp.164から掲載しています。人間以外の知性との出会いや、機械知能とのコラボレーションなど、アタマを柔らかくしてくれる作品が並んでいるので、まずは肩慣らしとしてチェックしてみてください。

それでは具体的なワークショップに入っていきましょう！

# アイデアの発散

所要時間 | 100分

**POINT**

1. 出会いとコラボレーションにおける自身の「原体験」を書き出し、出会いに求める欲望を挙げてみる
2. その欲望と「世界観拡張カード」を掛け合わせアイデアを出す

## Workshop Tips

ワークショップのコツ

### 「アイデアの発散」の心得

アイデアを発散するために、実現可能性や現在の事業との接続はいったん脇に置き、多様な未来を大胆に発想してみてください。まずは出会いとコラボレーションにおける「原体験」を挙げていきます。

### 「原体験」を考える意義

SFプロトタイピングでは「他者のニーズ」ではなく「自身の欲望」を起点に未来を考えるため、自分自身の「原体験」をひもとくことが重要です。本パートでは、出会いとコラボレーションにおける「原体験」を起点に未来を考えます。

### 「世界観拡張カード」を活用する

「原体験」を考えるだけでは、飛躍した未来のアイデアにたどり着けません。みなさんの「原体験」と、SF的な発想の飛躍を可能にするために「世界観拡張カード」を掛け合わせてアイデアの発散を行ないます。

このパートで重要なのは、「原体験」を考えることです。Sansanの方々はみな、出会いから新しい価値が生まれることを信じていらっしゃいますが、今回はCxOの方々にワークショップへご参加いただき、それぞれのルーツを探ってもらいました。

「自分にとって価値ある出会いとは何か？」をメンバーと共有する機会自体が普段の業務ではそんなにないそうで、ワークショップの場も盛り上がったよね。

そこに「世界観拡張カード」を掛け合わせることで、想いや原体験を大切にしながら、未来を発想できたのかと思います。「世界観拡張カード」は、『WIRED』日本版がこれまで掲載してきた社会やテクノロジーの変化を中心に作成されており、新しい特集号が出たり、ワークショップを重ねたりするたびにアップデートしています。

次ページからの「Workshop」で紹介されている回答例は、実際にSansanの方々が回答したものを、便宜的に「Aさん・Bさん・Cさん・Dさん」として取り上げていますので、参考にしてみてください。

# Workshop §1

## 「原体験」を書き出してみる

SFプロトタイピングの起点として、原体験を基に
「出会い」と「コラボレーション」に対する欲望を書き出します。

**HOW TO**

**1.** まずは個人で「自分の人生に影響を与えた出会いやコラボレーション」を手元の付箋にいくつか書き出してみましょう。そのなかから特に自分にとって重要だと感じた原体験をひとつ選び、エピソードとして語ってみましょう。

**2.** これまでのさまざまな出会いやコラボレーションの場面を踏まえ、出会いやコラボレーションに対して求める「欲望」をいくつかリストアップしてみましょう。複数人で実施する場合は、ふたりひと組で質問し合いながら、お互いの原体験や欲望を掘り下げてみましょう。

### ( Step 1. ) 「出会い」の原体験を考える

**Q.** **あなたにとって印象的な出会いの原体験(人/状況)を教えてください。**

**A.** 人生を旅する戦友との出会いです。学生時代にバイトしていたファストフード店で、同じ深夜シフトに入る留学生と出会いました。専攻分野を極めるために日本に来た彼女は、学費と生活費を稼ぐために必死でした。触れるものすべてを糧にして、何ひとつ無駄にしていなかった。自分も極貧生活だったのですぐに意気投合しました。(Aさん)

**Q.** **その出会いが人生に及ぼした影響を教えてください。**

**A.** ひとつの行動から複数の効果を生み出すことができると気づきました。ものごとの捉え方、さまざまな立場の価値観、世の中の理不尽さなど、一緒にたくさんの経験をしました。実はいまの仕事は、目的もなくバイトをしていた自分に、彼女が勧めてくれたものなんです。彼女との出会いは、自分がいまに至るまでのすべてに影響しています。(Aさん)

## ( Step 2. ) 「欲望カード」をつくる

**Q.** 出会いにどのような性質を求めますか? 付箋に書き出しましょう。

**B** さん

出会うべきタイミングで出会いたい

**A** さん

二度と体験できないような感動的な出会いを何度も体験したい

**D** さん

すべての出会いに意味を見いだし(ネガティヴな出会いでも)感謝できるようにしたい

**B** さん

ひとりでは気づけない「お互いの可能性」を見つけ、拡張したい

**C** さん

偶然感が欲しい

**D** さん

安易に表面上のつながりを求めることから距離を置きたい

ほかのメンバーが挙げた「欲望」でも、自分が共感できれば活用してOKです。その際、思考をドライヴするきっかけになればいいので、自分の考えと100パーセント一致していなくても大丈夫です。より上級の取り組みとしては、新しいキーワードや造語をここで生み出せると、発想が拡がっていきそうです。

# Workshop §2

## 「世界観拡張カード」と掛け合わせる

「欲望カード」に「世界観拡張カード」を掛け合わせ
多様なプロダクトアイデアを出してみましょう。

### HOW TO

1. 欲望カードのなかから気になるものを1枚選んでください。

2. 欲望カード1枚とランダムに引いた世界観拡張カードを組み合わせ、未来の出会い・コラボレーションを支えるプロダクト等のアイデアを考えてみましょう。上記の作業を繰り返し、多様なプロダクトアイデアを検討しましょう。

**ひとつのアイデアを精緻化するよりも、多様なアイデアを出してみましょう。世界観拡張カードはあくまでも発想のきっかけなので、正確な掛け合わせになっていなくても大丈夫です。**

# ( What's? ) 「世界観拡張カード」とは

SF的な発想の飛躍を助けるために、さまざまな未来の兆しをまとめた、WIRED Sci-Fiプロトタイピング研究所オリジナルのカード。未来におけるテクノロジーの変化や人々の新しい価値観、社会制度やシステムを掲載しています。
(本書巻末に20枚をピックアップして収録)

**A** さん

二度と体験できないような感動的な出会いを何度も体験したい

欲望カード

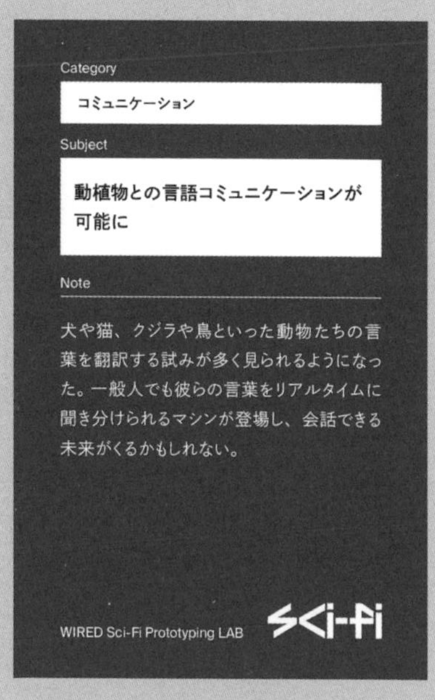


世界観拡張カード

↓

**未来の出会いを支える**
**プロダクトやサービスのアイデアを導き出す**

ex. 動植物と人間が感情や記憶を共有し、
コラボレーションするための意識共有デヴァイス

アイデアの発散はいかがでしたか？「これ面白いかも」と思えるアイデアはたくさん出ましたか？ アイデアを振り返る際は「多様なアイデアが出たか」「自身の原体験や欲望として手触り感があるか」「SF的な発想の飛躍や、長期的な未来を描けているか」といった観点を意識してもらえるとよさそうです。

もし足りていないと思ったら、ほかの世界観拡張カードを使ってさらに発想を飛躍させるのもオススメです。起こりがちなのが、自分たちの既存事業を意識し過ぎて現実的な設定を出してしまうケースです。

SFプロトタイピングだからこそ、既存事業から離れて大胆に発想することが大切だよね。

ちなみに、「§1『原体験』を書き出してみる」で体験してもらった“アイデアの起点を探すためのフレームワーク”は、実際にはテーマの方向性やSFプロトタイピングの目的、参加者の方々の特性を踏まえてカスタマイズしています。「〇〇のない世界」を考えるとか、さまざまなアプローチがありますが、それはまた別の機会にご紹介しますね。それでは、次のパートに行きましょう。

# アイデアの「選択」と「拡張」

所要時間 | 100分

**POINT**

1. 「アイデアの発散」パートで出したアイデアをマッピングし、プロトタイピングしたいテーマを見つける
2. アイデアを多面的に捉え、周辺世界に想像を巡らせる
3. 物語のコンセプトを編み上げる

## Workshop Tips

ワークショップのコツ

### 「アイデア選択」の心得

前パートでは「多様なアイデアを出す」ことが重要だったのに対し、本パートでは「どのような観点でアイデアを絞り込むか」をチームで検討し、「SFプロトタイピングを実施する目的」の解像度を高めることが重要です。

### 「9つの問い」による拡張

アイデアを物語にする前に、より多角的な視点でアイデアの可能性を拡張しましょう。その際に用いるのが、みずからの思考の枠の外に出るための「9つの問い」というフレームワークです。

### 物語のコンセプトをまとめる

「9つの問い」を基に、さまざまな可能性を検討できたら、あらためて今回具体的に検証したい物語を定めます。物語の内容をまとめたコアコンセプトと、その物語で検証可能なテーマを言語化しましょう。

このパートでは、プロトタイピングする具体的なアイデアを選択していきます。その後のステップはこのパートで選んだアイデアを基に進めていくので、重要なパートです。

アイデアを選択する際の軸は、悩ましいポイントだよね。

そうですよね。でも、多様なメンバーから出てきたアイデアを分類したりマッピングすることで、チームがどういったテーマに興味関心があるのかを把握したり、SFプロトタイピングする目的の解像度を高めることも可能なんです。ぜひ、一度立ち止まって、チームでじっくり対話してみてください。

アイデアを選択したあとは、「9つの問い」を用いてアイデアを拡張します。これは研究所が初期から活用しているフレームで、そのアイデアが未来社会や、その未来で生きる人々にどんな影響を及ぼすかを考えるのに役立ちます。

「その未来において、アイデアの価値を享受できない人」をあえて考えることで、アイデアを磨き上げやすくなるよね。それでは、実際に挑戦してみようか。

# Workshop §3

## アイデアをマッピングし、プロトタイピングしたいテーマを見つける

「アイデアの発散」パートで出したアイデアをマトリクス上にマッピングすることで、自分たちがプロトタイピングしたいアイデアを絞り込みましょう。

### HOW TO

1. まず「アイデアの発散」パートで出した全メンバーのすべてのアイデアをマトリクス上にマッピングしましょう。近いものはグルーピングしていくと、アイデアの傾向がわかるのでオススメです。

2. 傾向をチェックし、プロトタイピングしたい領域をひとりずつ選び、どのような目的で今回のSFプロトタイピングを実施したいのかを議論してみましょう。

3. 最後に、プロトタイピングするプロダクトやサービスのアイデアを選択しましょう。複数のアイデアを組み合わせて新しいアイデアをつくることも可能ですが、そのアイデアで問いたいことが曖昧になるようであれば、ひとつだけ選択するようにしましょう。

このマトリクスは「何をプロトタイピングしたいのかを探り、自分たちの未来の姿を想像する」ためのツールです。丁寧にマッピングすることにとらわれずに、自分たちがプロトタイピングしたいテーマを探ることを大切にしましょう。

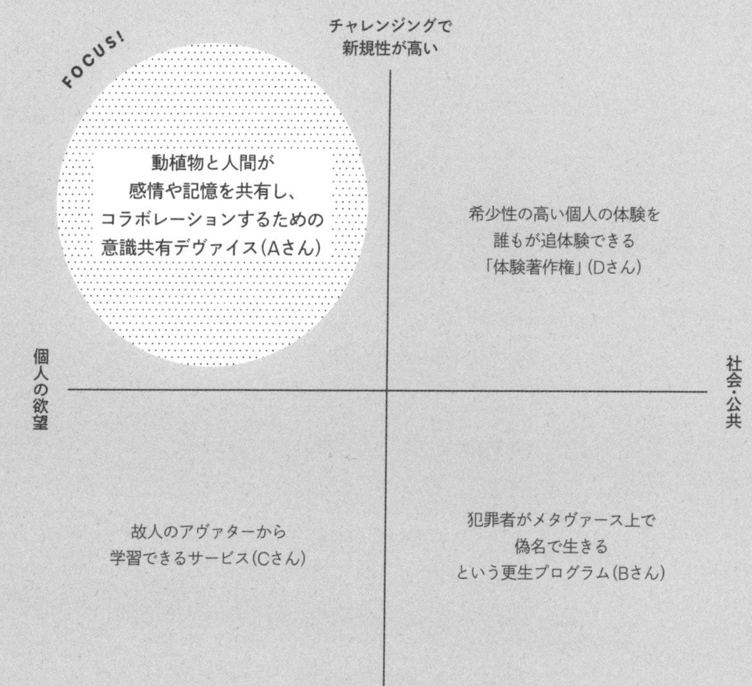


## （ What's? ） 未来を想像してマッピング？

SFプロトタイピングを実施する目的を振り返りながら、マトリクスのどの領域に関して検証したいのかを明らかにしましょう。複数の切り口でプロトタイピングしたり、別のマトリクスをつくってチームとしてマッピングすることもオススメです。次項からは、便宜上「Aさん」のアイデアにフォーカスしていきます。

# Workshop §4

## アイデアを多面的に捉え、周辺世界に想像を巡らせる

プロトタイピングしたいプロダクトのアイデアを決めたら、
世界を多角的に拡張してみましょう。ここでは「Aさんの回答例」を参照していきます。

**HOW TO**

1. マトリクスに置いたアイデアのなかから、プロトタイピングしたいアイデアをひとつ選択しましょう。
2. 「9つの問い」にアイデアを当てはめてみましょう。

### ( What's? ) 「9つの問い」とは

アイデアや物語を多角的に捉え、拡張していくためのツールです。9つの問いに答えることで、そのプロダクトやサービスのアイデアの「周辺世界」で起きる出来事を具体的に描写し、自分たちが想定している世界の外側まで想像を巡らせることをサポートしてくれます。

ある問いに答えてから別の問いを見たときに、別の物語の設定を思いつくことがあります。それらを連鎖させ、物語のタネを考えてみましょう。さらには、ほかの参加者のアイデアに自分のアイデアを接続し、アイデアを深めていくアプローチもあり得ます(それがチームでSFプロトタイピングに取り組むよさでもあります)。ひとつのアイデアを精緻化することにとどまらず、物語のタネになるアイデアを複数出せると理想的です。

START!

Part 1. 「社会の価値観の変化」に関する問い

**Q1.** あなた（ここではAさん）のアイデアによって、「出会い」や「コラボレーション」は現代と比較してどのように変化しますか？

人間以外の時間スケールを意識したコミュニケーションが必要

**Q2.** そのアイデアが多くの人に受け入れられるために、その世界で常識となっていることは何ですか？

感情や記憶を他者と共有することに対するハードルがない

**Q3.** そのアイデアが実装されてから2世代先（＝約60年）の社会は、そのアイデアの実装によってどのような影響を受け、どのような常識が存在しますか？

「成長」という言葉のニュアンスが、短期的かつ急速な成長ではなく、100年単位の成長として捉えられるようになる

## Part 2.　「未来を生きる人々」に関する問い

### Q4. そのアイデアの価値や利益を享受できるのはどんな人たちですか？ その人たちは何を価値に感じるのでしょうか？

**A.** まだ言語化されていない「感情」を獲得したい人

**A.** 動植物の保護団体

**A.** 他者とのコラボレーションに疲れた人々

### Q5. 一方で、取り残されるのはどのような人たちでしょうか？ そうした人たちの課題を解決するためには何が必要ですか？

**A.** 動植物の視点をもつと「VR酔い」のように酔ってしまう人

**A.** 食肉業界などにかかわっている人

### Q6. このアイデアを最初に受け入れたのはどのような人たちでしたか？ 一方、どのような反発がありましたか？

**A.** プライバシー保護の観点から反発がありそう

**A.** 動植物の保護団体から、虐待なのではないかという反発がありそう

## Part 3. 「アイデアの実装」に関する問い



**Q7.** そのアイデアが実装される兆しは20XX年に起きますか？ また、何がきっかけになりますか？

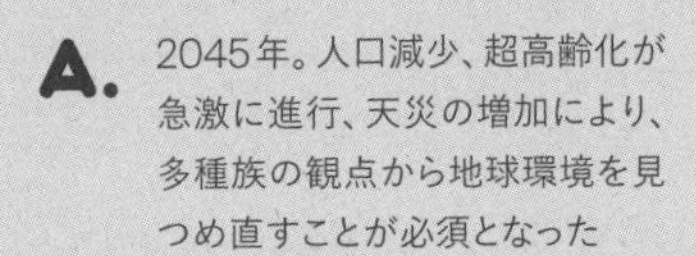

**A.** 2045年。人口減少、超高齢化が急激に進行、天災の増加により、多種族の観点から地球環境を見つめ直すことが必須となった

**Q8.** そのアイデアが実装された社会で、新たにどのようなビジネスが生まれそうでしょうか？

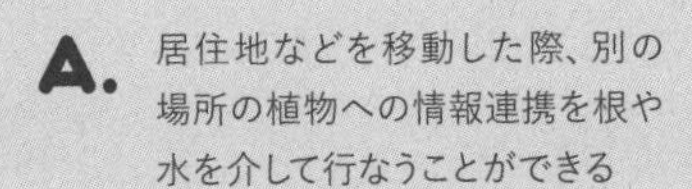

**A.** 居住地などを移動した際、別の場所の植物への情報連携を根や水を介して行なうことができる

**Q9.** そのアイデアの社会実装に向けて、チームとして取り組みたいことは何ですか？

**A.** この前段階で、そもそも「動植物とのコラボレーション」へのハードルを下げ、普及させる必要がある。これはVR世界であれば実現できるのではないか？

# Workshop §5

## 物語のコンセプトを編み上げる

「9つの問い」に答えることで、多様な物語の可能性が見えてきました。
そのなかから、どの可能性にまつわる物語を書くかを決め、その物語のコアコンセプトを
固めていくことで、SFプロトタイピングしたいテーマを明確にしていきましょう。

### HOW TO

1. 構文を埋めて物語のコアコンセプトをひとつのフレーズで書いてみましょう。それを基に、「その物語をSFプロトタイピングすることで、どのようなテーマについて考えることができるのか」を言語化しましょう。

2. 物語のコアコンセプトとテーマのセットをすべて確認したうえで、今回SFプロトタイピングする物語を決めましょう。

**物語のコアコンセプトは、次のような構文もありえます。**
**[　]と[　]が出会うことで[　]なコラボレーションが生まれる物語**
**[　]と[　]が出会うような[　]を開発する物語**
**[　]と[　]がコラボレーションする際に[　]が起こる物語**
**また、「出会う / 別れる / コラボレーションする」以外にも、自分たちの物語をドライヴする動詞があれば新しく設定しましょう。**

## ( Step 1. ) 物語のコアコンセプトを考える(Aさんの場合)

今回考えたいプロダクトやサービスのアイデア

「メタヴァースプラットフォーム」

によって

どういう関係性のふたり?

「あるプロダクトの元開発者と購入者」

が

出会い　別れ　コラボレーション　< >

どんなことが起こる?

「元開発者が再び夢を追いかけ始める」

物語

## ( Step 2. ) 物語のテーマを決める(Aさんの場合)

この物語をSFプロトタイピングすることで検証したいテーマは……

「ユーザーと開発者の偶然の出会いは
どのようなコラボレーションを引き起こすのか?」

SFプロトタイピングするテーマをまとめていくのは大変だったと思いますが、いかがでしたか？

9つの問いを考えるのは大変ですよね。でも多角的に考えることで、だんだん描きたい世界が見えてきたのではないでしょうか。

9つの問いを活用することで「自分の想定外の方向に、物語を展開させて思考を進められたか」、物語のコアコンセプトやテーマをまとめるなかで「チームや組織にとって今回のSFプロトタイピングで検証したいことが検証できそうか」を意識してみてください。

コアコンセプトを決めるときのポイントはありますか。

そうですね。「物語のコアコンセプト」と、「物語のテーマ」の違いについても補足させてください。「コアコンセプト」が、物語で描く内容のまとめだとしたら、「テーマ」は、「今回SFプロトタイピングで何を検証したいのか？」を言語化するためのものだと捉えていただければと思います。

あくまでも自分たちが、何を検証したいのか。なぜやるのかを考えるということですよね。

物語を書いていると、つい面白い方向に話をドライヴさせてしまいがちなのですが、そんなときには「そもそも、自分たちって何のためにSFプロトタイピングやってるんだっけ？」と考え、立ち返ることがポイントになります。

この「9つの問い」を、研究所では多用しています。

WIRED Sci-Fiプロトタイピング研究所ならではのフレームワークですね。

今回は、小説を書く前のアイデアを拡張するために活用しましたが、400字の物語を書いたあと、さらなる拡張のために活用したりもします。小説の登場人物というミクロの視点から、その社会における常識や新しい価値観、社会制度といったマクロの視点まで、幅広い視点で小説の世界を精緻化していける便利なフレームワークです。

クライアントやテーマに沿ってその都度、「9つの問い」は質問の項目を変えていますよね。それでは、次のワークに進んでみましょう！

# 物語の形式でプロトタイピングする

所要時間 | 120分

**POINT**

1. 物語の設定を具体的に描写する
2. 象徴的なワンシーンを400文字の物語で描く

## Workshop Tips

ワークショップのコツ

### 物語の形式でプロトタイピングする意味

アイデアを物語化していくことで、アイデアの段階では気づけなかった「そのアイデアによる社会変化や未来を生きる人々の機微」に気づくことができます。

### 物語の設定をつくる

未来世界の世界観だけではなく、登場人物の変化こそが物語をドライヴさせます。また、物語の設定をつくる際には、SFプロトタイピングで検証したいテーマに立ち返ることも大切です。

### ワンシーンを具体的に描く

物語の設定をつくったら、ワンシーンを具体的に描写してみましょう。検証したいテーマに関連するシーンや、プロダクト等のアイデアが使われるシーンを中心に物語化していきます。

さて、いよいよ小説を書くフェーズになりました。ここで用いる「三幕構成」というフレームワークは、古代ギリシャに起源があり、アリストテレスが発見したといわれているんです。

人間がストーリーとして世界を捉えるときの普遍的なフレームワークですよね。これはワークショップでご一緒するSF作家のみなさんもよく言っていることなのですが、SFプロトタイピング小説を書くとなると、ついつい世界観設定に意識が向きがちなのですが、登場人物の行動や心情の変化を描くことも同じくらい重要です。

そうそう、「物語を書く」行為は、必然的に「登場人物の行動原理や心情の変化について考える」ことにつながるわけだけれど、そこから得られる気づきって大きいよね。たとえ未来を描くSFであっても、人間の普遍的な苦しみや悩み、欲望ってそんなに変化しないのでは……とか。その普遍的な人間性がテーマになったり、SFプロトタイピングで検証したい内容になりやすいと感じています。

新しいテクノロジーが登場したり、いまとは異なる常識をもつ人々が暮らしていたりする世界が舞台だとしても、そこに普遍的な人間の在り方を入れ込むことで、課題の思わぬ解き方が見つかったり、また別の課題が見つかったりしますよね。ではそろそろ、具体的なワークに入っていきましょうか。

# Workshop §6

## 三幕構成で物語の展開をつくる

これまでに決めた物語の設定を具体的に描写し、
物語の全体像を考えます。AさんのSFプロトタイプが出来あがってきました。

### HOW TO

1. 世界設定、登場人物、事件を具体的に書いてみましょう（右ページ参照）。例えば「主人公」の上２つの欄を埋めるときは、「唯一の友達が人工知能の、小学３年生の女の子」といったように、具体的な設定をもった一言の描写にしてみましょう。ほかにも思いついた設定があれば、もちろん記載して構いません。

2. 次に、三幕構成のフォーマットを使って、物語の展開をつくってみましょう。事件を中心に物語を構成するとともに、登場人物たちがどのような変容を遂げるのかを記入してください。

登場人物や周辺世界をなるべく具体的に描き出すためには、自身が共感できたり、違和感を覚えたりする設定をつくり、物語世界に没入することが大切です。そして、その登場人物はどのような弱さや欲望をもち、どのように成長や変容を遂げるのかを意識して描いてみてください。

## ( Step 1. ) 具体設定の描写(Aさんの場合)

### 世界設定

現在とは異なる世界の特徴(〜な、〜ができる)

「落とし物がよくある」

物語が展開する場所

「メタヴァースプラットフォーム」

関係するテクノロジー

「メタヴァース空間、
視覚ディスプレイ」

### 事件

特徴を描写する形容詞(〜な、〜する)

「諦めきれなかった夢を選びきれず」

どのような事件が起こるのか

「自分の仕事の価値を見失い挫折する」

主人公はどのようにかかわるのか

「記憶を思い出す」

### 主人公

特徴を描写する形容詞(〜な、〜する)

「犬のアヴァターを身に着けた」

どのような属性か

「メタヴァースおまわりさん」

この人物を特徴づける欲望、弱さ

「夢をがむしゃらに追いかけていたが
諦めた過去がある」

### 出会う相手

特徴を描写する形容詞(〜な、〜する)

「大事なものを落として探しに来た」

どのような属性か

「純粋な感情をもつ女性会社員」

この人物を特徴づける欲望、弱さ

「日々の喪失感を埋めるために
宇宙を勧める」

## ( Step 2. ) 物語の展開(Aさんの場合)

### 物語の発端

どのような時代、どのような場面から始まるのか

「おまわりさんと女性が出会う。
おまわりさんが女性の大事な
落とし物を見つける」

### 中盤・事件の一部始終

事件の発端、兆し

「女性の落とし物は、実は
主人公の過去の開発物だった」

事件発生

「追憶。何でもいいから宇宙にかかわりたくて
ミニチュアの宇宙空間を開発していたが、
意味のない仕事だと感じて辞職」

事件の解決、収束

「過去を振り返り、女性のセリフを
思い出しながら自分の"過去の落とし物"を
探しに行く」

### 結末

事件の後の世界

「心機一転、新たな仕事に着手する。
新たな現場で女性と再会する」

### 登場人物の変容

物語の発端での主人公や
登場人物の状態や関係性は?

「主人公は真面目に
勤務している様子だが、
社会に対して諦めがある」

事件では主人公や登場人物はどう協力し、
どのような関係性の危機が訪れる?

「女性に言われた言葉が
主人公の追憶と挑戦の
きっかけになる」

事件を経て、主人公や登場人物は
どのように変化した?

「再び挑戦しようと
気持ちを入れ替える」

# Workshop §7

## ワンシーンを描写する

物語の構成のなかからシーンをひとつ選び、
具体的な物語をつくってみましょう。ここではAさんが描いたワンシーンを紹介します。

### HOW TO

1. 検証したいテーマを踏まえて、最も描きたいシーンをひとつ選び、選んだ理由とともに記載しましょう。

2. そのシーンは、小説のなかでどのように描かれているのでしょうか。400字以上で書いてみましょう。登場人物同士のセリフのやりとり、世界設定や場面、感情など、具体的かつ詳細な描写を意識してみてください。

**選んだシーン**

「落とし物をした人と
拾った人の出会いのシーン」

**なぜこのシーンを選んだのか**

「物語と主人公の人生が大きく動く
象徴的な出会いだから」

会話劇を描く際は、ジェネレーティヴAIなどを活用することが有効かもしれません。ジェネレーティヴAIに登場人物のひとりになりきってもらって、チャットを通じて会話劇をつくることも有効なアプローチのひとつです。

## 参加者Aさんが描いたワンシーン

「おまわりさん！ 私のバッグ、届いてませんか？」

わざわざ息を切らしながら駆け込んでくるなんて、大げさな人だなと思いながらも、迷子の子猫のように落ち込んだ、その女性の話を聞いた。どうやら重要な商談に行く途中、大事なデータが入ったBagを紛失してしまったらしい。データのクラウド化や持ち物の自動追跡が一昔前に流行った現代において、落とし物をすること自体が珍しいが、最近、MU（ミュー）の中では、こういった「落とし物」が増えている。

開発元の公式情報では、長期間の連続稼働とユーザー間をまたぐデータ処理が重なることによって、定期的なデフラグ処理がうまくいかず、一定の割合で発生するバグらしい。と、ニュースで言っているのを以前に見たが、詳しい仕組みはよくわからない。しかし、おかげでぼくのような「落とし物」を拾ってMUの中を見回る、いわゆる「おまわりさん」が成り立っているので、技術の進歩は学歴にも優しい。

「肉球、気持ちいいですね」

行動履歴を解析するために彼女の手に触れる必要があるのだが、この身体は意外と便利だ。むさ苦しい男の手だったら触れられるほうも抵抗がある。

「アキさん……ですね。前回が69年の7月。ちょうど3年前ですか。さすがに3カ月に1回くらい再起動したほうがいいですよ」

そう言って、彼女の情報を視覚ウィンドウに表示しながら、復元アプリでデータのサルベージを開始した。MUの中では主に手がコントロールデヴァイスの役割を果たしている。誰かとのデータのやりとりや複雑な処理など、細かな操作は手のジェスチャーと意識のリンクによって実行される仕組みだ。人類が何かをするうえで、いちばんなじみのある「手」というパーツをコントロールデヴァイスにするのは、確かに理にかなっている。

「あ！」「え？」「いえ……もう大丈夫です。確認してください」

自分の視覚ウィンドウを閉じて、彼女にデータの確認を勧める。

ぼやけた彼女の視覚ウィンドウの中までは見えないが、無事にデータが戻っていることは彼女の表情からはっきりと確認できた。

みなさん、小説を書く醍醐味は伝わりましたか？ 振り返りとして「自身が感情を揺さぶられるような登場人物や世界観をつくれているか」「テーマを検証するような具体的な描写ができているか」をチェックしてみてください。

SFプロトタイピングで面白いのは、アイデアの段階では「このテクノロジーが世界を救うんだ」と思っていても、いざ小説にして未来世界を検証していくと「あれ、このままだと人々を不幸にするかも」と逆の結果をもたらすことがたびたびあることです。

単なるアイデア発散では、そのアイデアが社会のなかでどのように機能するかまでは発想しにくいですよね。でも、アイデアを起点に世界観を精緻に描いたり、物語とそこに登場するキャラクターを描くことで、アイデアが社会でどのように機能し、どのような人々がその価値を享受するのか。一方で、不幸になる人はどのような人々なのかを検討できます。

物語のなかの架空のキャラクターの目線で、自分たちの望ましい未来でも、望ましくない未来であっても、存分に未来のリハーサルをすることができるのがポイントです。そして実は、小説の執筆は1回で終わりではありません。早速、次のワークに進みましょう！

PROCESS

# 4 2回目のプロトタイピングの方向性を探る

所要時間 | 60分

POINT

2回目のSFプロトタイピングをする

## Workshop Tips

ワークショップのコツ

### SFプロトタイピングの執筆を振り返る

SFプロトタイピングの意義のひとつは、物語の形式で未来を精緻に空想し、複数人で議論する土台をつくれることです。そのため、SFプロトタイピングの執筆が終わったら、ほかのメンバーと議論をし、自分では気づけなかった視点を洗い出してみましょう。

### SFプロトタイピングを2回行なうことの意義

先述の「複数形の未来(Futures)」を実現するために、2回目のSFプロトタイピングに取り組んでみましょう。1回目とは登場人物を変えたり、その前日譚や後日譚を描いたりすることで、未来とその未来で起きうる事象を多角的に捉えられます。

### SFプロトタイピングにより立ち上がった新たなテーマを探る(上級者向け)

テーマを基にした物語を具体的にプロトタイピングしたことで、何か検証された結果があるはずです。検証結果を言語化し、一段階進んだテーマや新たに見つかったテーマを確認しましょう。

われわれ研究所のワークショップでは、参加者がSFプロトタイピングを2回やることを重視しているよね。

そうですね。ある登場人物の視点からすればユートピアでも、異なる人物にとってはディストピア、生きにくい世界になってしまうこともあります。「よりよい未来」の基準は簡単に変わりやすいからこそ、視点を変えることを重視しているんです。

また、前日譚や後日譚を描くのも、描いた未来に登場するテクノロジーやガジェット、社会における価値観がどのように形成されうるのか、その後の将来世代にどのように影響を与えるのかを考えるためです。ある世代にとっては「よい技術」でも、次の世代の負担になるものだと、それは「よい」とは言えませんから。

そうした検討を踏まえると、SFプロトタイピングしたいテーマが精緻化していくのがいいところだよね。みなさんが真に考えたかった問いにたどり着けるように、視点や年代を変えたりすることが大事だと考えています。

# Workshop §8

## ２回目のＳＦプロトタイピングをする

1回目を踏まえて、2回目、3回目のSFプロトタイピングはどのような方向性で
実施するとよいか、A～Cのフレームワークを用いて検討しましょう。
決まった方向性を基に物語を再度描写し、検証の方向性を定めていきましょう。

**HOW TO**

**1.** これまでにつくった物語の設定とワンシーンの描写をほかの人に読んでもらい、感想やフィードバックをもらってみてください。2回目のSFプロトタイピングの際にその内容を反映してみましょう。

**2.** 2回目のSFプロトタイピングの方向性を定める際の切り口として「登場人物の視点を変えてみる」「その世界の前後を想像する」「テーマに対する検証結果を整理する」といったアプローチが有効です。

A. ほかの登場人物からは、世界はどのように異なって見える?

職場の同僚から見ると？

出会った相手から見ると？

この世界で苦しんでいる
人の視点から見ると？

B. この世界の前日譚、後日譚を描くとしたら?

C. テーマに対する検証結果から新たなテーマを探る

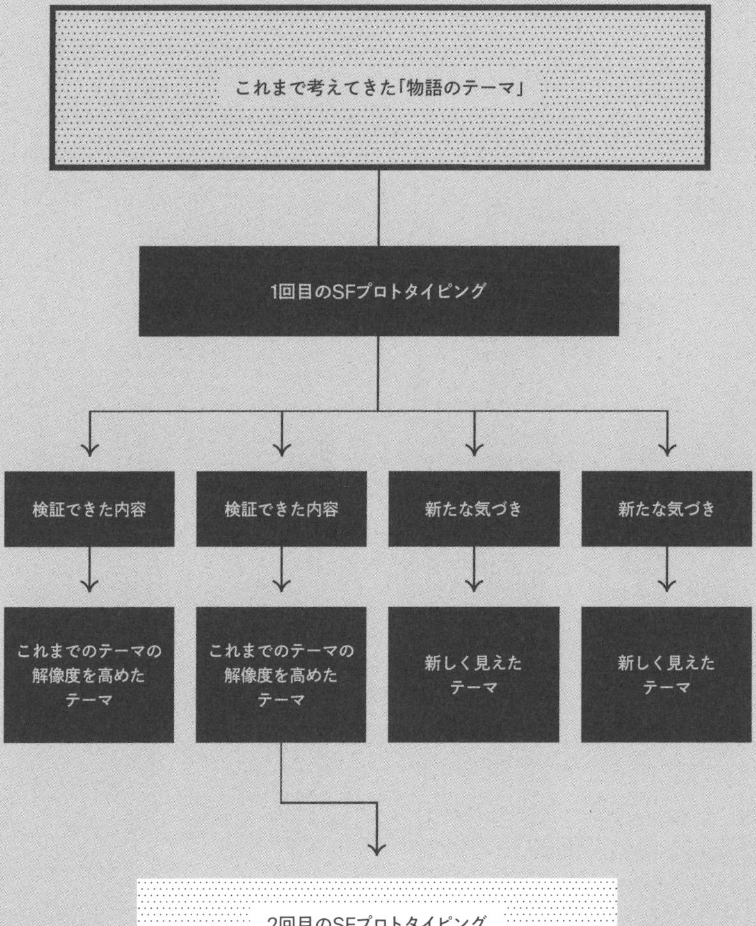

これまで考えてきた「物語のテーマ」

1回目のSFプロトタイピング

| 検証できた内容 | 検証できた内容 | 新たな気づき | 新たな気づき |
| --- | --- | --- | --- |
| これまでのテーマの解像度を高めたテーマ | これまでのテーマの解像度を高めたテーマ | 新しく見えたテーマ | 新しく見えたテーマ |

2回目のSFプロトタイピング

# Outro

アウトロ

**POINT**

1. アイデアの発散：原体験（欲望カード）と世界観拡張カードを掛け合わせ、アイデアを出す
2. アイデアの「選択」と「拡張」：アイデアのマッピングによりアイデアを選択し、「9つの問い」によって拡張。小説のコアコンセプトとテーマをまとめる
3. 物語を具体化する：設定の描写や物語の展開をシートにまとめ、アイデアを物語化していく
4. 物語を解釈し、2回目のSFプロトタイピングの方針を検討する：相互フィードバックを踏まえて、2回目のSFプロトタイピング小説を執筆し、テーマの解像度を上げる

みなさん、ワークショップおつかれさまでした！

さまざまな出会いとコラボレーションの未来を想像することができたでしょうか？ ここからはアウトロとして、実際に研究所で取り組んでいる「科幻」後のプロセスを簡単に紹介します。

本書p.036から掲載されているSF作家3名によるSFプロトタイピング小説は、Sansanのみなさんが執筆したSFプロトタイピング小説からテーマを抽出し、マッピングしたうえで、SF作家と議論を重ねてテーマが決まっていきました。

実際のワークショップでは、プロットや小説完成のタイミングで「小説のなかでの出会いとコラボレーションの未来に対し、示唆的な部分はどこか？」を、SF作家やSansanのみなさんと丁寧に議論していますよね。小説ごとに議論したい問いを準備して、有識者を交えたトークにより論点を深掘りしました。

ご自身の手で未来を描くだけではなく、SF作家の小説を丁寧に読み解くこともSFプロトタイピングの醍醐味のひとつです。ご自身やチームメンバーが描いたSFプロトタイピング小説やSF作家3名の小説といった「Futures」を並べ、自分たちにとって望ましい未来、望ましくない未来について対話すれば、チームのヴィジョンが深まるでしょう。

その後、プログラム内では「収束」に関するワークショップも実施しました。SFプロトタイピング小説に描かれた未来からバックキャスティングして現在に接続し、企業のヴィジョンやミッション、新しいプロダクトやサービスのアイデア、今後組織内でどのようにSFプロトタイピングを活用していけそうか、といったことについて議論していくフェーズですね。

その際に重要なのが、「SFプロトタイピング小説に描かれた未来」「自分たちのヴィジョン・現在と未来のケイパビリティ」「現在予測されている、ありえそうな未来の社会変化」を往復しながら、自分たちが取り組みたい「注目したい社会の変化点を探す」ことです。

「収束」パートについては、また別の機会に伝えたいよね。

そうですね。「ワークショップ編」はここまでとしましょうか。SFプロトタイピングの楽しさが伝わるとうれしいです。ありがとうございました！

『コラボレーションの未来〜「出会いのデータベース」を構築した先に待ち受けているもの〜』というテーマの下、全10回、初めてSFプロトタイピングに挑んだSansanの参加メンバーたちの所感は？

# After SF Prototyping Questionnaire

## Sansanメンバーへのアンケート

【準備+仮説のSTEPについて】

**Q1. WIRED Sci-Fiプロトタイピング研究所によるKeynoteや、有識者によるレクチャーで印象に残っていることを教えてください。**

**A.** 日常、あまり触れない視界や情報を得たことで、未来を考えるワクワク感を強く覚えました。特に「無意識データ民主主義」という考え方は、データベースを扱うSansanとして非常に興味深く、思考すべき領域だと強く感じました。（林 佑樹さん）

- - - - - - - - - - - - - - - - - - - -

メタヴァースの世界観や、それによる人や社会の変化の可能性。自分自身の日常やビジネスからは距離がある世界に対して、考えるきっかけになりました。（富岡 圭さん）

- - - - - - - - - - - - - - - - - - - -

最新情報のcatch upと本企画へのマインドセット。（寺田親弘さん）

【科幻のSTEPについて】

**Q2. SFショートショートの執筆、SF作家のプロット読み解きで印象に残ったことを教えてください。**

**A.** 読み解きにおいて参加メンバーそれぞれの意見が違い、またその違いが自身の刺激になる体験は面白かったです。（林 佑樹さん）

- - - - - - - - - - - - - - - - - - - -

未知の体験。（寺田親弘さん）

- - - - - - - - - - - - - - - - - - - -

小・中学生のときに星新一さんのショートショートを読んでいましたが、まさかビジネスの世界で、しかも自分で執筆することになるとは思いませんでした。未来の環境、そして事業を柔軟に考えるのによいプログラムだったと思います。（室 健さん）

【収束のSTEPについて】

## Q3. SF小説を読み解き、物語を足がかりに「これから」を模索するディスカッションで印象に残ったことがあれば教えてください。

**A.** 議論が回る。(寺田親弘さん)

---

自分で思考を(自然に)抑制されながら未来を描いた中盤とは異なり、未来の環境や状況を想像しやすくなりました。(橋本宗之さん)

---

セッションで生まれたアイデアが、SF作家のみなさんの力でより鮮明な手触り感のある物語となっていくことに、素直に感動しました。(芳賀諭史さん)

【業務との接続について】

## Q4. SFプロトタイピングを経て、直近、どのようなアクションを日々の業務のなかで行なってみたいと思いましたか?

**A.** 未来から考えるということを思考プロセスとして加える。具体的には、通常考えているよりはだいぶ先の10年後や20年後に対して、より具体的な姿を想像してみる。(富岡 圭さん)

---

バックキャスティングで新しいプロダクトやサービスを発想することです。(室 健さん)

---

業務のゴールについて、少し先をイメージしてそれを記述することです。(芳賀諭史さん)

【SFプロトタイピング全般について】

## Q5. SFプロトタイピングを行なったことで新たに気がついた「ものの見方」や「アイデアの発想法」などがあれば教えてください。

**A.** 事業をいまの目線で考えることと真逆の未来からの目線で考えることの行き来は、いまを正々堂々と否定可能な方法であって、イノベーションを考えるうえで重要なスキルであると感じます。(林 佑樹さん)

---

執筆することで未来の解像度を上げ、「想像する力」を感じることができた。一方で、結末はディストピアになりがちなので、ユートピア的な発想を意識し、それを実現するためにどうするかということが大事だと思った。(富岡 圭さん)

---

パラレルワールドのリアリティをもつ。(寺田親弘さん)

【コラボレーションの未来について】

## Q6. この先、どのような「コラボレーションの未来」を実現していきたいと思っていますか?

**A.** 身体感覚を大事にしていきたい。(寺田親弘さん)

---

データを活用して偶然の出会いと必然の出会いを演出し、よりイノベーティブなコラボレーションが生まれるサービスを考案してみたいと思いました。(室 健さん)

---

ChatGPTが世界を変えようとしているので、まさにいまこそSci-Fi的な考え方や取り組みが必要なんだと思う。(橋本宗之さん)

Interview #2

TEXT BY RIE NOGUCHI

# Interview_2

インタヴュー #2

## 普段は見過ごしてしまう
## 「気づきの種」を見つける手法

田邉 泰

Sansan執行役員／
CBO (Chief Brand Officer)／
CIO (Chief Information Officer)

「SFプロトタイピング：ワークショップ編」にて
実践例として紹介された“Aさん”のアイデアは、
実はSansanの執行役員・田邉 泰さんのもの。
SFプロトタイピングに初めて挑戦した
田邉さん、実際のワークショップはいかがでしたか？

## 空想を拡げる「普通ではない体験」

**——まずはSFプロトタイピングをひと通り経験してみた感想を教えてください。**

これまでSFという世界を意識して見ることが少なかったので、初めは「未知の世界だな……」という印象がありました。【準備】のステップで聞いたキーノートで、SFにもいろいろなジャンルがあることを知るところから始まりました。特に海上都市の話が印象的だったのを覚えています。

**——SFプロトタイピングでは、未来社会の様相を多面的に空想していくために、事前にさまざまな角度から必要な情報をインプットする【準備】の時間を設けています。そのなかで紹介されたのが、海を漂う「海上国家」が成立するかもしれない、という話でしたね。**

地球上で人間が住めるところは限られていて、次に人間はどこに行けるのかと考えると、海の中か空の上になります。そうでなければメタヴァースになる。そう考えると海の上は現実味があるという話を聞いて「なるほどな」と思いました。また、人間の五感の話も面白く、味覚と嗅覚がDXされるとミラーワールドが現実になるのではないかと思いました。

**——Sansanのみなさんは普段から情報感度が高く、先端技術への造詣が深いですが、普段の業務とSFプロトタイピングとはどのような違いがありますか？**

普段は会社のオフィスで事業計画を考えていますが、事業計画とフィクションを考えるのとでは使う頭が全然違うなと感じました。空想を拡げて発想していくのは「普通ではない体験」です。ぼくはクリエイティヴ系の職種で、動画などはインスピレーションでつくったりしますが、とはいえ、未来のことを考えるとなると、使う脳みそが違いますし、必要な知識も違います。

**——今回のSFプロトタイピングでは、架空の人物をつくり、彼ら／彼女らが生きる社会を考えたり、人間関係を描いたりしました。初めてやっていただきましたがいかがでしたか。**

難しかったですね……。キャラクター設定をつくるだけでもすごく大変でした。作家の方々は本当にすごいなと実感しました。研究所や作家のみなさんに「こうやったらうまくできるよ」とアドバイスをしていただきましたが、なかなかそれも難しい（笑）。倉田タカシさんが「物語や世界観をつくるなかで、世の中がどういう状態なのかを定義していくところから始めると、人の行動が自然とつくられていく」とおっしゃっていて、なるほどなと。「こういう文化があり、こういうことを学び、こういうふうに生活していたら、個人の考え方はこうなる。だからこういう動きをする」という流れですね。そういう手法も含めて、難しいとは思いながらも面白さを感じました。

## ワークショップには人格がにじみ出る

**——参加者のみなさんで進捗確認などはされましたか？**

今回の参加者のなかには、普段は頻繁にやりとりをしない人もいました。だから「ああ、この人はこういう見方をするんだな」「こういう考え方をするからこういう答えにたどり着くんだな」と驚く部分がありました。ワークショップをやると、その人の性格がにじみ出てきて普段の業務からは見えない考え方を知ることができました。

**——今回はCxO(最高○○責任者)のみなさんに参加いただきました。お忙しいみなさんにとって「宿題」はいかがでしたか。**

時々ミーティングで会うと「あれ、やった?」というような会話はありましたが、個人個人で粛々とやっていましたね。でも宿題としては結構な量でした(笑)。

**——参加者のみなさんには2回ショートストーリーを書いていただきました。2回書くのはやはり大変でしたか。**

最初に書いたものをレビューしてもらい、気をつけたほうがいい点など、アドバイスをもらえたので、再度ブラッシュアップできたことはすごくよかったと思ってます。ぼくの場合はまるっと書き直したりして大変だったのですが(笑)、方向性を見定めるうえでそれはそれでよかったなと思います。小説の書き方を教えていただいて、すごく面白い体験ができました。

**——みなさんがつくり上げた世界観を基に、作家の方々が小説に仕上げていきました。最初にプロットを読んでみていかがでしたか?**

3人の作品を読んだとき、率直に感じたのは専門的な難しいことも描かれているけれど、やはり世界観のつくり方、ストーリーのつくり方がすごく上手だなと感じました。

**——プロットの擦り合わせをし、3つの作品が仕上がりました。仕上がった作品を読んでみた感想を教えてください。**

面白かったです! 内容が面白いのはもちろんなのですが、倉田さんの作品に「出会わせ屋」というワークショップで出たアイデアが盛り込まれていたように、藤井太洋さんや高山羽根子さんの作品も、ぼくたちと議論した内容が盛り込まれていてうれしかったです。そして素人が書いたものと、作家さんが書いたものはやっぱり違いますね(笑)。

**新しいことを生み出す手法**

**——最終フェーズでは、作品を読み解き、自分たちのサービスに落とし込んでいただきましたが、研究所としては、みなさんが普段から考えているサービスや事業のなかで、「タイミングが早過ぎた」など、さまざまな理由で止めていたアイデアを復活させてつなぎ合わせるような意見が出たのが面白いなと感じました。**

当時は早過ぎた事業のアイデアもこれをきっかけに新しい方向性が見えてきたように思います。ぼくたちは目の前のことに向き合ってやり続けていますが、どうしても結果が出ないものは切り捨てていかなくてはなりません。それが一周回って、いまならいけるかもしれないという考え方の幅が拡がったのは当社としてはプラスだったと思います。

**——SFプロトタイピングをやっていた時期は、ChatGPTがここまで浸透していませんでしたが、先んじて議論できたのもよかったですよね。今回のSFプロトタイピングで生まれた3つの物語を実現しようというような直接的なつながりというよりも、そこからインスパイアされて、未来について考えることで、テクノロジーの使い方を**

**普段の事業でどう考えるかという「視座」を得ていただけたらと思っています。**

ChatGPTを取り上げるのが早かったですよね。ChatGPTの活用も社内でアイデアとして出ますが、ワークショップで一度しっかり検討したからこそ、きちんと向き合えているように思います。世の中の流れを考えると、あの段階で考えられたからこそ、スピードを落とさずにキャッチアップし続けていられると感じますね。

**――ちなみに田邉さんが今回参加してみていちばん面白かった点はどこでしたか?**

やはり「小説を書いたこと」ですね。ものの見方やアイデアの発想方法、フィクションのプロセスを知れたことが大きいです。文字で世界観をつくるのは楽しかったです。そして体験を具体化することで連想ゲームのようにアイデアがつながり、よりよいアイデアになっていくと思います。この考え方は今後も活用していけると思っています。

**――今回経験してみて、SFプロトタイピングはどのようなことに役に立ちそうですか?**

新しいことを生み出すうえでのひとつの手法だと思います。新しいものを取り入れることで、自分に柔軟性を取り入れてみたり、普段は見過ごしてしまいそうな気づきの種を見つけることができる。SFプロトタイピングは新しいものが生み出せるかもしれないというヒントにつながると感じています。

**――ちなみに当初よりもSFとの距離は近づきましたか?**

そうですね。普段何げなく見ていたものも「これもSFなんだな」という視点で見るようになりました。

**――今回、SFプロトタイピングではショート版をご執筆いただきましたが、参加者のなかで「続きを書きたい」という方はいらっしゃいましたか?**

ぼくは書きたいですね。書いたものと向き合いたいです。ただ、普段の業務がありますから、なかなか手がつけられなくて。

**――いやいや、ぜひ挑戦していただきたいです!**

わかりました。せっかくですので挑戦してみます!

※田邉さんの成果である小説『落とし物』は以後のページで。

# 落とし物

田邉 泰 Yasushi Tanabe

「おまわりさん、落とし物、届いていませんか？」
　迷子の子猫のように落ち込んだ女性が、いまにも泣き出しそうな顔で駆け込んできた。どうやら大事な物を紛失してしまったらしい。
　データのクラウド化や持ち物の自動追跡が一昔前に流行った現代において、落とし物をすること自体が珍しいが、最近MU（ミュー）の中ではこういった「落とし物」が増えている。
　メタバースプラットフォームMUの開発元「Meta Universal」社の公式情報では、長期間の連続稼働によって一定の割合で発生するバグらしい。詳しい仕組みはわからないが、おかげでぼくのように「落とし物」を拾ってMUの中を見回る、いわゆる「おまわりさん」が成り立っているので、技術の進歩は職歴や学歴にも優しい。

「肉球、気持ちいいですね」
　行動履歴を解析するために彼女の手に触れる必要があるのだが、この犬の身体は意外と便利だ。むさ苦しい男性の手だったら触れられる方も抵抗がある。
「それはよかったです。これでも一応“公式”なんですが、好き勝手にやらせてもらっているんですよ」
　MUで利用するアバターには公式と非公式があり、ひとり1アカウントだけ法的に公式設定ができる。
　公式アバターは年齢や体型、服装など、見た目にかかわる現実世界との差異を総合的に判断して、身元証明としての信頼性を担保している。現実との誤差が5ポイントを超えると認定レベルが低下し、仕事や日常生活に支障が出るため、アバターの見た目を更新するのが一般的だ。

しかし、なかにはぼくのように認定レベルを気にせず、わざわざ公式アバターの見た目をカスタマイズしている社会不適合者もいる。

「非公式の方ではなく、公式の方なんですね。認定レベル、大丈夫なのですか?」

「こんな仕事ですからね。認定されてなきゃできない仕事でもないですし、支障はないんですよ」

そんな話をしながら、目の前の空間に視覚ウィンドウを表示し、専用アプリで紛失したデータの捜索を開始する。

MUの中では主に手がコントロールデバイスの役割を果たしている。誰かとのデータのやり取りや複雑な処理など、細かな操作は手のジェスチャーと意識のリンクによって実行される仕組みだ。

「あ、これかな……届いているみたいです」

「本当ですか?」

「はい、もう大丈夫です。確認してみてください」

自分の視覚ウィンドウを閉じて、彼女にデータの確認を促す。

ぼやけた彼女の視覚ウィンドウの中までは見えないが、無事にデータが戻っていることは彼女の表情からも確認できた。

「よかった……見つからなかったらどうしようかと」

「そんなに大事な物だったんですか?」

「はい。子どもっぽいかもしれませんが……」

彼女は自分の視覚ウィンドウから、手のひらサイズのガラス玉を取り出した。

「ここまで精密なものは珍しくて」

ガラス玉の中にはミニチュアの宇宙空間が広がっている。星の動きをミニチュアで再現した現代版のスノードームだ。ひっくり返す必要はなく、ただそこに置いておくだけで星がキラキラと瞬き、銀河がゆっくりと渦を巻く。ぼくはこれをよく知っていた。

「これ……そんなにいいものですか?」
「わたし、宇宙大好きなんです。嫌なことがあると、いつもこれを眺めるんです」
　誘われるように銀河を眺めると、なんだか時間の流れがゆったりと感じられた。
「そうですか……宇宙、ぼくも昔は好きだったんですけどね」
「嫌いになってしまったんですか?」
「嫌いになったのか、嫌われたのか、どっちなんでしょうね……自分でもよくわからなくて」
　宇宙好きという共通点は無意識にぼくの口を軽くする。
「好きだった気持ちや一生懸命だった気持ち……もしかしたらぼくは、そんな大事な物をどこかに落としてきてしまったのかもしれませんね」
　誰に答えを求めるでもなく、なんとも言えない感情でそう告げると、
「落としたのなら……わたしのように見つかるといいですね」
　と、彼女がガラス玉越しにそっとつぶやいた。
　一度なくしてしまったものは見つかるのだろうか? ゆっくりと動く銀河は、時間の流れさえ飲み込んでいくようで、ただただ美しかった。

「今日は本当にありがとうございました」
　彼女はミニチュアの宇宙を大事そうにしまうと、何度もお礼を言ってその場を後にした。
　共通点があったからなのか、現実世界の顔が見えないからなのか、初めて会った相手にいろんな話をしてしまったことを思い返して、少し恥ずかしくなった。
　視界の端に目をやると休憩時間を示す通知が見えた。
　休憩がてらMUを起動状態のまま、エアゴーグルディスプレイ、通称エアゴーと呼ばれる透明なゴーグルをはずして、身体の動きを検知するためのフィットカプセルから出る。
　現実世界に戻ってきても、ついついMUを起動状態のままにしてしまう。これを長期間そのままにするせいで「落とし物」が増えているらしいが、再起動には時間がかかるので気持ちは十分過ぎるほどわかる。

お気に入りのビーズソファに腰をおろし、ゆっくりと目を閉じる。巷では人をダメにするソファと呼ばれたりもするが、ダメになったのはこのソファのせいではない。

子どものころから宇宙が大好きで、将来は宇宙関係の仕事に就きたいと思っていた。2060年代から宇宙開発はどんどん活発になり、就職の間口も広がったが、人生そんなにうまくいくわけもなく、なんとかぼくが入社できたのは宇宙のデータをミニチュアで再現する会社だった。

珍しい偶然もあるものだが、あのミニチュアの宇宙空間はいまの仕事を始める以前、ぼくが開発担当としてかかわったものだった。

当時は夢に燃えていたし、若かったこともあり、ただがむしゃらに働いた。「宇宙の美しさを知ってもらえればそれだけで十分だ」なんて、いまとなっては恥ずかしいセリフもよく口にしていた。

その一方で、会社の業績はどんどん悪化し、日に日に業績へのプレッシャーも強くなり、なんのために働いているのか徐々にわからなくなっていった。何を開発してもうまくいかず、誰からも必要とされていないんじゃないかという感覚だけが付いて回った。

やがて身体を壊し、心も壊した。やってきたことは意味のない仕事だったと投げ出し、結果、ぼくは仕事を辞めた。

それからの日々はぼくを腐らせていったし、人生を味気のないものに変えていった。

どんな仕事でもどこかで誰かとつながっていて、何かの役に立っている。そんな考えは青臭い気もするが、彼女との出会いが自暴自棄だったぼくに、そんなことを教えてくれた気がした。

人生という長い道のりのなか、どこかで落とした大事な物は見つけられるのだろうか？

「落としただけなら……見つかるかもな」

決心にも似た独り言をつぶやきながら、ぼくは過去に落とした大事な物を探しに行くため、お気に入りのソファに沈み込んだ重い身体を再び奮い立たせた。

　オフィスの窓から満開になった桜並木が目に入った。おまわりさんを辞めてから、この桜が満開になるのを何度見たことだろう。もうそんな時期か、と春の訪れを感じながら打ち合わせに向かう。

　この時期になると初々しい新入社員が期待に満ちた表情で入社してくる。一度は挫折し、最前線から逃げ出したぼくだが、時が経ったいま、自分は彼らのよき先輩になれているだろうか。

「先輩、これからっすよね？」

　会議用のフィットカプセルに向かう廊下で仲のいい後輩が話しかけてきた。

「ああ、やれるだけやってくるよ」

「この協業がうまくいったら、MUの月面都市に人がいっぱい来ますかね？」

「そうだな、数年後にはこの技術が当たり前になって、月もメインエリアになるかもな」

　現在のMUは現実をスキャンした仮想空間がメインの生活エリアとなっているが、拡張機能を活用すれば誰でもオリジナルの空間を設計できるようになっている。

　空間の設計は緻密であれば緻密であるほど質感が増す。神は細部に宿るというやつだ。しかし、これまでその設計や運用に本気で向き合ってきた企業はない。現実世界のスキャンやAIでの自動設計で事足りてしまうため、一から緻密に何かを設計して、長期的に育てていこうとはあまり考えないのだ。そのため現在のメインエリア以外は粗も多く、観光スポットとしてもさほど人気がなかった。

「それにしても、あんな細かい設計、よくやってられますね」

「ミニチュアは得意なんだよ」

「AIだけじゃダメなんすか？　わざわざ手作業を追加しなくても……」

「お前はすぐにラクをしようとするよな。コツコツやる以外に大きなことを成し遂げる方法なんてないんだぞ」

「そんなもんですかね？」

「そんなもんだ」

　挫折もして、紆余曲折も経て、それでも少しずつ前に進んできた。いまだからこそ、いいことも悪いことも、すべてに意味があって無駄ではなかったのだと思える。人生にラクな道なんてないのだ。

「じゃあ行ってくる。勝手にカプセルの電源切るなよ」

ふざけがちな後輩に釘を刺し、会議用のフィットカプセルの中に入った。

「そんなことしませんよ。このあと合コンで使うんで、早くしてくださいね」

「それは家から入れよ。会社のものを私用で使うな」

ぼくはエアゴーを装着し、MUにログインした。

ドアが開くと、どこか見覚えのある女性が名刺を差し出してきた。

とても形式的ではあるが、あえて行う名刺交換はなんだか滑稽でもあった。実際にそこに紙があるわけではなく、視覚ウィンドウを「公開」の設定にして名刺のごとく差し出すのだ。

名刺を受け取ろうとした瞬間、Sansanから通知が届いた。きっと相手にも同じ通知が届いていたのだろう。微笑みながら彼女が言う。

「今日は肉球ではないんですね」

ぼくは懐かしくも嬉しい気持ちで彼女の名刺を受け取った。

「こんな仕事ですからね。認定されてなきゃできない仕事なんですよ」

そう言って右手を差し出すと、彼女は小さく笑いながら握手に応えた。

「落とし物は見つかりましたか?」

「はい。ようやく」

人と人はどこかでつながっている。コラボレーションは気づかないところで起こっているのかもしれない。これだから出会いというのは不思議でたまらない。

Page 164-179

ILLUSTRATIONS BY ASAMI HATTORI

SELECTOR

Taiyo Fujii
Haneko Takayama
Takashi Kurata
WIRED Sci-Fi Prototyping LAB

「未来における人と人、人と人ならざる者、
人ならざる者同士の出会い方(とその顛末)」
にまつわる視座を高めるうえで知っておきたいSF作品を、
3人のSF作家——藤井太洋、高山羽根子、倉田タカシ——と
WIRED Sci-Fiプロトタイピング研究所がピックアップ。

CONTENTS

BOOK/MOVIE/GAME/COMIC/ART

「出会いのSF」40選

# How to Meet People in 40 Different Sci-Fi WORLDS

# 01

## 『宇宙人王さんとの遭遇』

マネッティ兄弟:監督
〈アメイジングD.C.〉

中国語の通訳をして暮らしている女性のもとに、突然秘密裏な緊急の仕事が入り、呼び出される。向かった研究所には、地球語として中国語のみを理解する宇宙人が閉じ込められていた。宇宙人、通訳者、尋問者、それぞれの思惑が言語の翻訳を通じて、誤解・隠匿・相互理解のごちゃまぜ状態を作り出していく。(高山)

# 02

## 「奥村さんのお茄子」(『棒がいっぽん』所収)

高野文子:作
〈MAG COMICS〉

まるで人間にしか見えない宇宙人がやってきて、何もかも地球の日常の外見のまま、地球外のただならぬ事情を持ち込むが、その過程で、主人公の人生の一場面をこまやかに読み直し、あたらしい光を当ててくれる。一本のうどんにしか見えない記録媒体など、ディテールが楽しい。こちらにとことん合わせてくれるエイリアンという、奇妙な出会いの物語。(倉田)

## 03

## 『霧のなかのゴリラ』

ダイアン・フォッシー：著／
羽田節子、山下恵子：訳〈平凡社ライブラリー〉

コンゴとルワンダでマウンテンゴリラの研究を行なったダイアン・フォッシーの自伝。作業療法を学んだ経験を活かしてゴリラに近づくことに成功したフォッシーは、そして密猟者たちとの戦いに没頭していく。自著である本書に加え、密猟者が第三者視点でも描かれる映画『愛は霧のかなたに』や、非業の死の謎を追うドキュメンタリー「ダイアン・フォッシー」なども参照できる。(藤井)

## 04

## 『未来の二つの顔』

ジェイムズ・P・ホーガン：著／
山高 昭：訳〈創元SF文庫〉

AIの安全性を確かめるために人類はある実験を行なう。高度なAIに管理された宇宙ステーションを用意し、人類が対処できるかどうかを確かめるのだ。見どころは、擬人化されない機械と人とのコミュニケーション。インターネット普及前の作品だが、コンピューターネットワークやドローンなどの描写にも違和感がない。結末にアレンジが加えられた星野之宣(ほしのゆきのぶ)によるコミック版もいい。(藤井)

## 05

## 『三体』

劉 慈欣：著／大森 望、光吉さくら、ワン・チャイ：訳／
立原透耶：監修〈早川書房〉

文化大革命で父を殺された科学者は、中国軍の地球外知的生命体探査(SETI)計画を利用して人類の滅亡を依頼する。「SFだけが宇宙人の侵略に備えられる」と語る著者がその言葉の通り、科学と想像力を駆使して、誰一人想像したことのない恒星間戦争に立ち向かう方法を教えてくれるSF巨編。(藤井)

## 06

## 『マンダロリアン』

ジョン・ファブロー：原案〈ディズニー・メディア&
エンターテイメント・ディストリビューション〉

人前では決して素顔を見せない冷徹な賞金稼ぎ(バウンティーハンター)と、「生きているだけで精一杯」気味ながらも内に強いフォースを秘めている幼児(ザ・チャイルド)。SF版「子連れ狼」とも言える本作の見どころはやはり、赤の他人同士が徐々に親子として絆を深めていく過程だろう。仮面の下でどんな表情をしているのかが伝わってくるペドロ・パスカルの演技に涙。This is the way.(WIRED)

07

## 『WALL-E』

アンドリュー・スタントン：監督
〈ウォルトディズニースタジオホームエンターテイメント〉

地球に置き去りにされた廃棄物処理ロボットは、ごみを毎日圧縮、処理しながら、そのモノたちがどう使われていたか想像しつつ、自分だけのささやかな部屋を作って暮らしている。そこに、地球を後にした人類によって送り込まれた環境調査ロボットがやって来る。ボーイミーツガールから介護、天地創造まで、あらゆるモチーフが詰まったCGアニメーション。（高山）

08

## 『となりのヨンヒさん』

チョン・ソヨン：著／
吉川 凪：訳〈集英社〉

破格に安い訳アリ物件に住む主人公が、ガマガエルみたいな隣人の「彼」とお茶会をする。そんなできごとはあらゆる場所で起こる。街角で、電車の隣の席で、集合住宅で。宇宙人からウイルスまで、日常のテーマを着想で昇華させる巧みな韓国女性作家による、ご近所ファーストコンタクトな短編集。（高山）

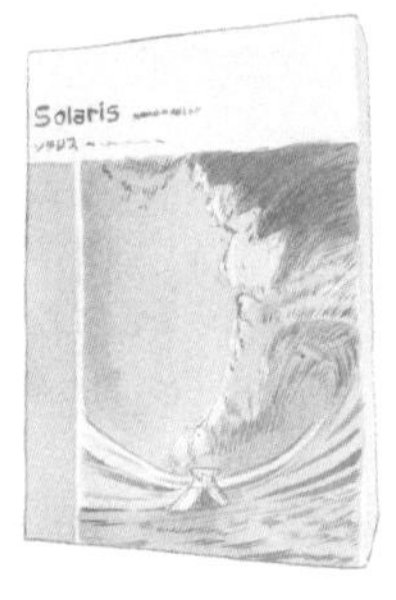


09

## 『ソラリス』

スタニスワフ・レム：著／岩郷重力：イラスト／
沼野充義：訳〈ハヤカワ文庫SF〉

海に覆われた惑星ソラリスの上空に浮かぶステーションには、怪異が発生していた。存在しないはずの人間が歩き回っているというのだ。新たにステーションを訪れた研究員のケルヴィンの元にも、自殺した恋人が現れる。ケルヴィンはこの人物たちが「海」によって作られたコピーだということを突き止める。異質な「海」とのわかりあえなさが、人間中心主義を疑わせる傑作。（藤井）

10

## 『ジュラシック・パーク』

スティーヴン・スピルバーグ：監督
〈ユニバーサル・ピクチャーズ・ジャパン〉

SFには、しばしば名刺が登場する。この作品でそれは琥珀に封じられた太古のDNAというかたちをとる。これを人の手が受け取った結果、恐竜たちは再び生存の場を得る。名刺が収入確保の、つまりは生存のための道具であること、出会いとは生きるための営為であることを再認識させられる。その先には共存という大きな課題がある。（倉田）

12

『Return of the Obra Dinn』

Lucas Pope：開発
〈3909〉

過去に遭難し、突然無人で戻ってきた客船オブラ・ディン号の調査を依頼された保険調査員。残された痕跡を調査、記録をし、この奇妙な船にどんな理由によってどんな者が訪れ、その何者かに乗組員がどう対峙し、ふるまい、それらの行為によりどんなことが起こったかを整理し、明らかにしていく推理ゲーム。（高山）

11

『マーズ・アタック！』

ティム・バートン：監督
〈ワーナー・ホーム・ビデオ〉

アメリカに突然火星人がやって来るというパニックムービー。倒そうと待ち構える者、政治利用しようとする者、最初に仲良くなろうとするセレブ、トレーラーハウスの家族、キリストの再来だと語り瞑想しフェスを開く若者。思いもよらぬ形で展開し、そうして終息する騒ぎは、戦後、冷戦のアイロニーにも満ちている。（高山）

13

## 『わたしは真悟』

楳図かずお：作
〈ビッグ コミックス〉

「悟(さとる)」と「真鈴(まりん)」がプログラミングを楽しんでいた産業ロボットが、ある日自我に目覚めた。ふたりの名前から文字をもらって「真悟」と名乗るそのロボットは、悟(さとる)の言葉を真鈴(まりん)に伝えるための旅に出る。怪奇漫画家の楳図かずおが80年代に構想したロボットやコンピューターグラフィックスも見どころのひとつ。（藤井）

14

## 「超時空要塞マクロス」

スタジオぬえ：原作
〈バンダイビジュアル〉

修復した巨大な宇宙戦艦「マクロス」が、異星の艦隊に勝手に攻撃を加えて冥王星近傍に超空間航行(フォールド)してしまう。騒動に巻き込まれた民間人の一条 輝は従軍して人型ロボットのパイロットになり、異星人との戦いを通して成長していく。戦闘生物として作られた異星人たちが「文化」に触れて変質していくクライマックスをぜひ体験してほしい。ファンが作り手になったエポック的な作品でもある。（藤井）

## 『遊星からの物体X』

ジョン・カーペンター：監督
〈ジェネオン・ユニバーサル〉

雪深い極地の観測基地で起こった「ある出来ごと」についての物語。その恐ろしい「未知の訪問者」は、閉鎖空間にいるそれぞれの人間に思いもよらない事態をひきおこす。まったく知らない約束ごとで生きている他者というのは、ここ最近であればCOVID-19のように人間の目には見えないウイルスの形をとることもある。その不穏を巧みに昇華させたSFホラー。（高山）

15

16

## 『プロジェクト・ヘイル・メアリー』

アンディ・ウィアー：著／
小野田和子：訳〈早川書房〉

円筒形の部屋で目覚めた「ぼく」が、自分自身の正体を探りながら地球の危機を救うハードSF。記憶のない主人公が世界を一つひとつ暴いていくのだが、開始数ページで明かされることすら解説を拒むほどの密度でネタが詰め込まれている。未知なるものに出会う「ぼく」の科学的なアプローチとユーモアを忘れない強さは、新たな時代に直面するわたしたちにも有効だ。（藤井）

17

## 『あなたの人生の物語』

テッド・チャン：著／浅倉久志、公手成幸、
古沢嘉通、嶋田洋一：訳〈ハヤカワ文庫SF〉

人類に語りかけるヘプタポッドは、人類とまったく違う思考、言語で交信する生命体だった。言語学者であるルイーズ・バンクス博士がその言語を読み解き、その生命体とのやり取りを通じることで、博士自身の思考のなかでもさまざまな変化が起こっていくファーストコンタクトの名作を含む短編集。（高山）

18

## 『ゴーストバスターズ』（2016）

ポール・フェイグ：監督
〈ソニー・ピクチャーズ エンタテインメント〉

幽霊の実在を証明するも大学から追い出された科学者が、その研究を知り訪れた人物と始めた幽霊退治のスタートアップ。どこかに自分を評価してくれる人がいて、仕事のパートナーになり、生涯の友人にもなる。そういった出会いと起業のひとつの理想の物語（クライマックスのあとでふたりに起こる身体的変化が、生涯の友情を暗示している）。（倉田）

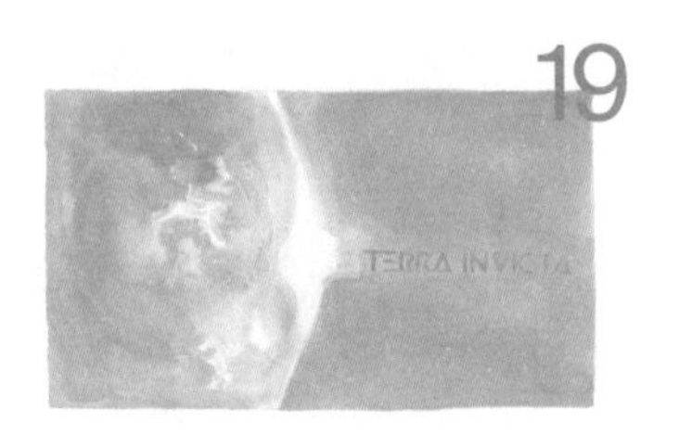


19

## 『Terra Invicta』

Pavonis Interactive：開発
〈Hooded Horse〉

地球にUFOが落ちてきたことで、人類は宇宙人と戦う、従属するなどいくつもの派閥に分かれてしまう。プレイヤーは、ひとつの派閥のリーダーとなって政治工作や関連技術の研究などを行ない、宇宙を巡る政治の主導権を争っていく。ターンベースのストラテジーだけれど、事態はリアルタイムで起こるのがゲームに緊張感を与えてくれている。（高山）

20

## 『電脳コイル』

磯 光雄：原作・監督
〈バンダイナムコ フィルムワークス〉

相容れないふたりのユウコ（優子と勇子）、過去と現在をつなぐ思いがけない糸、物理世界に重畳される不気味なバグ……。オンエアは2007年ながら、デジタルツイン（ミラーワールド）時代が到来した社会のありようを、子どもの生態を通じてリアルに空想してみせた作品。電脳ペットの死を悼む時代は、もうまもなく？（WIRED）

21

## 『コンタクト』

カール・セーガン：著／
池 央耿、高見 浩：訳〈新潮文庫〉

ニューメキシコの地球外知的生命体探査（SETI）計画天文台に二十六光年離れたヴェガ星系から飛び込んできたメッセージは、ナチスが放映したテレビ信号だった——パイオニア探査機の金属板をデザインしたカール・セーガンによるファーストコンタクトSF。ジョディ・フォスターが主演した同名の映画も素晴らしい。（藤井）

22

## 『In Other Waters』

Jump Over The Age：開発
〈Fellow Traveller〉

案内AIとなって研究者エラリーを手伝い、惑星「グリーゼ667Cc」へ先に向かった開拓者ミナエ・ノムラ博士の痕跡を追う探索ゲーム。独特な進化発展をした惑星の生命体を観察し、博士の残した痕跡を回収、分析することで、博士に起こったファーストコンタクトの体験や、その先何が起こったかを導き出していく。（高山）

23

## 『星々の海をこえて』

グレゴリイ・ベンフォード：著／
山高 昭：訳〈ハヤカワ文庫SF〉

宇宙のはるか彼方であらゆる生命の殲滅を進める機械知性体が、その尖兵として地球に異星の生物を送り込む。人類は絶滅に瀕するが、異星生物が生き残った人々と意思を通わせ、協力して活路を見いだす。異星生物が人間の言葉でたどたどしく綴る手紙が美しい。敵として訪れる味方、という出会いの物語。（倉田）

24

## 『2010年』

ピーター・ハイアムズ：監督
〈ワーナー・ホーム・ビデオ〉

神話のような『2001年宇宙の旅』に対して、この続編は人間同士の出会いのドラマとして見ることができる。20世紀末の冷戦が背景にあり、東西陣営の出会いと融和が遠い木星を舞台に描かれる。いま見返せば、また新しい意味をもつだろう。前作から引き継がれた謎との再会も含め、正編と続編をまとめて見ると発見が多い。（倉田）

25

### 「辺境」
### (『クローム襲撃』所収)

ウィリアム・ギブスン:著/
浅倉久志 他:訳〈ハヤカワ文庫SF〉

太陽系内に遠宇宙へのゲートが発見され、探査者が次々に送り込まれるが、謎のテクノロジーを持ち帰る一方で精神に異常をきたしてしまう。帰還した探査者たちの自死を阻止するために相性のよいパートナーをあてがうが、それも失敗に終わる。知と富への希求のうえに屍が積みあがる物語のなかで、二通りの破滅的な出会いが並置されている。(倉田)

26

### 『度胸星』

山田芳裕:作
〈ヤングサンデーコミックス〉

二〇一九年、人類が有人火星探査の第一歩を踏み出した直後に、探査チームは謎の物体によって壊滅させられる。ひとり残った宇宙飛行士が地球との連絡を取ろうとするなか、地球では原因究明のための第二火星探査チームの募集が始まっていた。トラック運転手の三河度胸が宇宙飛行士選抜に挑む成長譚に、多額の費用を要する宇宙開発の意義や高次元物体「テセラック」への思索が語られる。(藤井)

## 『星を継ぐもの』

ジェイムズ・P・ホーガン：著／
池 央耿：訳〈創元SF文庫〉

月の裏側で発見された、宇宙服を着た男の死体。それがなんと5万年前のものと判明する。ふたりの科学者が中心となり、この謎を解き明かしていく。大きな謎のまえで出会った科学者たちが、はじめは強く反目し合うも、謎そのものとの取り組みによってお互いへの信頼を育て、強いチームになる。これもまた幸福な出会いの物語。（倉田）

27

28

## 『BLAME!』

弐瓶 勉：作
〈講談社〉

かつて、基底現実と対をなしていた仮想空間「ネットスフィア」にアクセス可能な「ネット端末遺伝子」を持つ人間を探し求めて、太陽系に匹敵するほど超広大な階層都市を1000年以上にわたってさまよい続けている霧亥（キリイ）。盟友シボ、因縁浅からぬサナカン、電基漁師……。途方もない旅路の狭間に培われた人間関係が心に刺さる。（WIRED）

29

## 『2001年宇宙の旅』

スタンリー・キューブリック：監督
〈ワーナー・ホーム・ビデオ〉

月面に埋められていた正体不明の大きな黒い板、モノリス。これを掘り出した人類は、謎に魅かれて木星へ探査に向かい、超越的な存在と出会う。モノリスはいわば名刺だが、持ち主があまりにも強大なため、表に何も書く必要がない。それでも人類はこれを受け取り、やがて、はるか昔にコラボレーションは始まっていたと知ることになる。（倉田）

## 『戦闘妖精・雪風』

神林長平：著
〈早川書房〉

南極に出現した超空間通路から侵攻してくる異星体「ジャム」との交戦を描く航空SF小説。高度な自律制御装置を搭載したスーパーシルフに搭乗する深井 零は、危機に陥った味方を見捨てても戦闘情報を持ち帰る命令を受けていた。戦闘が続くにつれて、零と上司のブッカーはジャムが交戦している相手が人間ではなく機械なのではないかという疑問をもつようになる。（藤井）

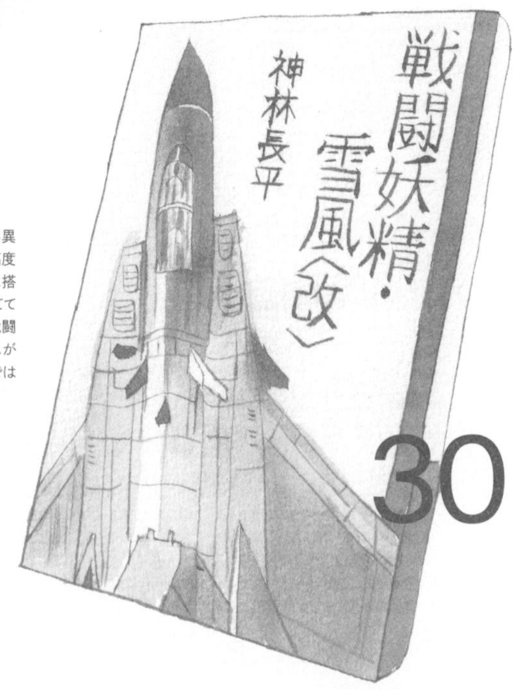


30

## 31

### 『マーダーボット・ダイアリー』

マーサ・ウェルズ：著／
中原尚哉：訳〈創元SF文庫〉

任務（戦闘）の最中であっても、隙あらばこっそり連続ドラマを視聴している風変わりな「人型警備ユニット」（一人称は“弊機”）の視点で綴られていく物語。警備対象である顧客（人間）たちとのふれあいや、調査船を司る（ツンデレ気味の）AI「ART」との痴話げんかを通じて、どんどん“人間味”を増していく弊機の成長が微笑ましい。（WIRED）

## 32

### 「A Meeting」（1944）

マウリッツ・エッシャー：作

大きく異なった姿をもつふたりの人物が出会い、握手する。背景で、ふたり（ふたつの集団）は隙間なく噛み合い、世界を埋めていることがわかる。すでに出会っていたはずの両者に真の出会いをもたらした、世界と直行するこのステージは、何を象徴しているといえるだろうか。そこにどのようなテクノロジーがかかわるだろうか。（倉田）

## 33

### 『7 Days to End with You』

Lizardry：開発
〈PLAYISM〉

覚えのない部屋で目が醒めると、そこにはまったく知らない言語でしゃべる、見知らぬ女性がいた。部屋にある貼り紙やメモ、置かれたものを見て彼女と対話をしながら、その言語を理解し、ひもといていくことで、いまの自分がなぜここにいるのか、これから何をするべきなのかを想像し、記憶を手繰り寄せていく。（高山）

## 34

### 『寄生獣』

岩明 均：作
〈アフタヌーンコミックス〉

ある日地球に降ってきた寄生生物は、人の脳を食べると人間を捕食し始める。ひょんなことから脳への侵入を防いだ主人公の新一（しんいち）は、右手に寄生した「ミギー」と奇妙な同盟を結び、寄生生物たちとの戦いに身を投じる。身体を武器化する寄生生物のビジュアルも素晴らしいが、冒頭から「寄生獣」の意味が判明する最終話まで、人新世（アントロポセン）を意識させるメッセージを響かせる構成力も見事。（藤井）

35

## 『パーティで<br>女の子に話しかけるには』

ジョン・キャメロン・ミッチェル：監督
〈ギャガ〉

パンク好きだけれど内気な少年エンは、偶然紛れ込んだパーティで不思議な少女に出会う。ふたりはたちまち恋に落ちるが、とある理由により彼女には48時間しか残されていなかった。タイトルからは想像できない展開が待っているものの、「異性が異星人に思えたあの頃の甘酸っぱい恋の物語」という原作者ニール・ゲイマンの言葉に偽りはない。（WIRED）

36

## 『ブルー・シャンペン』

ジョン・ヴァーリイ：著／
浅倉久志 他：訳〈ハヤカワ文庫〉

無重力プールで働く男が、客として訪れたスターと知り合い、恋におちる。幸運で幸福な出会いだったはずが、スターをスターたらしめている情動記録技術が、ふたりの実存を結び合わせる一方で、ふたりを深く傷つけもする。人は相手をどこまで深く理解することができるか、テクノロジーがそれをどう助け、またはくじくか、という物語。（倉田）

37

## 『Sonny Boy』

夏目真悟：監督
〈松竹〉

中学３年の夏休み。その日学校にいた37人の生徒たちは、校舎ごと異次元に飛ばされてしまう。そんな設定から始まる全12話のアニメは、前半（学校という特殊な環境下での群像劇）と後半（社会に解き放たれた個々人の視点）で様相を変えながら、登場人物たちに「世界は変えられないが、世界の捉え方は変えられる」という悟りにも似た気づきをもたらしていく。（WIRED）

38

## 『her／世界でひとつの彼女』

スパイク・ジョーンズ：監督
〈ワーナー・ブラザース ホームエンターテイメント〉

近未来のLA。手紙の代筆業を営むセオドアは、ある日AI型OS「サマンサ」と出会う。繊細で知的でセクシーなサマンサに魅了され、彼女の「存在」は日増しに大きくなっていくが……。現実世界におけるAIの進歩を鑑みると、「2次元のパートナー」の“実在感”が、本作のような事態を引き起こす日もそう遠くはない？（WIRED）

39

## 「鏖戦」（『鏖戦／凍月』所収）

グレッグ・ベア：著／
酒井昭伸、小野田和子：訳〈早川書房〉

遠い未来、人類は理解不能な知的生命との終わりなき戦いのなかにある。社会は戦争に過剰適応し、異質な集団に分かれ、停滞に陥っている。それでも、知りたいという欲求が、主人公に社会の異なる階層に属する人物との出会いをもたらす。出会いの先には理解がなければならない。敵とのそれにおいても。この小説自体も、異質なものとの出会いを体験させてくれる。（倉田）

40

## 『第9地区』

ニール・ブロムカンプ：監督
〈ワーナー・ホーム・ビデオ〉

難民として、ヨハネスブルクの第9地区に収容されているエイリアンたち。悲惨な境遇にある彼ら／彼女らは、地球の行政組織に対して待遇改善を求める行動を起こす。SF映画の定型＝「人類を襲うエイリアン」を逆手に取り、監督の出身地・南アフリカにかつて存在したアパルトヘイト政策の理不尽さを浮き彫りにしてみせた作品。（WIRED）

TEXT BY TOMONARI COTANI

# Epilogue

そして、責任感と金型が残る

数年前、WIRED Sci-Fiプロトタイピング研究所は鎌倉市と共同でSFプロトタイピングを行ないました。国が進める「スーパーシティ型国家戦略特別区域」へ挑戦するにあたって、2050年の鎌倉市のありようを、SF的空想力を使って思い描いてみたい——というテーマでした(実際鎌倉市は、完成時期を2050年に据えたスマートシティ構想をもち、「鎌倉市ならではのスマートシティの在り方」について市民参加型で議論を深めています)。
【準備】と【仮説】のステップ(→p.028)を経て、「物語の舞台は2070年」「主人公は17歳の女子高校生」という設定が浮かび上がりました。なぜ、物語の舞台が2050年(=スマートシティの完成時期)ではなく2070年になり、主人公は17歳になったのか。そこには、スマートシティで生まれ育った登場人物たちがある程度成長した時代・社会を空想し、精緻に描くことにこそSFプロトタイピングの役割があるのでは……という判断がありました。さらにいうと、物語に登場する彼女ら/彼らの暮らしがリアリティ溢れるカタチで描写されることで、物語を読んだ当事者——とりわけスマートシティ構想にかかわりをもつ鎌倉市の方々——の意識のなかに、「自分たちの思いがけない(何ならよかれと思って下した)選択によって、もしかしたら未来の誰かを苦しめることになるかもしれない」といったある種の責任感が、少なからず立ち上がるのではないかという見立てがありました。

あらゆる事象において長期的な思考が必要になってくるわけではないにせよ、グッド・アンセスター(よき祖先)としての視座をもつことは、この地球には人間だけではなく、動物も、植物も、微生物も(SF的にはAIエージェントも)いるというマルチスピーシーズ的な観点をもつことと同様、21世紀も1/5ほど過ぎた時代を生きるわたしたちに、ますます求められる感性ではないかと思います。物語を生み出し、読み解くというプロセスを経ることで、そうした感性が、外側から押しつけられた倫理観としてではなく、おのずと内側から湧き上がってくる規範（責任感）として涵養されていく……。それこそがSFプロトタイピングが提供できる大きな価値だとわたしたちは考えています。いうなれば責任感のプロトタイピング。WIRED Sci-Fiプロトタイピング研究所のプログラムは、それを体験していただくために設計されているとすら言えます。

もうひとつ、WIRED Sci-Fiプロトタイピング研究所が大事にしていることがあります。それは、「作品とともに、アイデアを生み出す金型ももち帰ってほしい」という点です。例えば高級靴の世界では、靴よりも木型（Last）こそが重要で、何なら靴は木型の幻影に過ぎないともいわれるそうですが、SFプロトタイピングも、一連のワークショップの結果としてSF作家を含む参加メンバーたちの小説は残るものの、より大事なのは、いつか機会が訪れたときに活用できるような「未来をフィクショナルに空想する思考法の金型」をもち帰っていただくことだと考えています（本書後半の「ワークショップ」は、その金型の一端だと捉えていただければ）。

今回、「よき祖先としての視座」と「アイデアの金型」をもち帰ったSansanのメンバーたち——寺田社長をはじめとするCxOクラスの面々が、多忙な日々の合間を縫って、目を輝かせながら参加してくださいました——が、この先どのような出会い方の未来／コラボレーションの未来を創造・演出してくれるのか、心待ちにしたいと思います。Sansanメンバーのみなさん、1年間おつかれさまでした。

そして、全ワークショップをご併走いただいたSF作家の藤井太洋さん、高山羽根子さん、倉田タカシさんにも、あらためてお礼を申し上げます。今回の「金型」の精錬度が飛び抜けていたのは、みなさまの多大なご尽力があったからにほかなりません。

「未来の出会い方、未来のコラボレーション」というテーマを、端的に、詩的に表現してくださった北村みなみさん、そして「出会いのSF40選」のヴィジュアルを担当してくださった服部あさ美さんにも心から感謝を申し上げます。

最後に、本書を読んでSFプロトタイピングに興味をもたれた方々へ。SFは、Science FictionでもありSpeculative Fictionでもあり「すこし・ふしぎ」(by藤子・F・不二雄)でもあるわけですが、研究所としてはそこに、Stay Foolishも加えてみたいと思っています。どうせ鬼に笑われるのなら、腹の底から笑わせてやろう——ってなわけです。そんな心意気に共鳴された方々との奇縁が、本書をきっかけに結ばれたら何よりです。

WIRED Sci-Fiプロトタイピング研究所所長

小谷知也

こたに ともなり/フリーランス編集者。中央大学法学部政治学科卒業後、主婦と生活社を経てエスクァイア マガジン ジャパンに入社。『エスクァイア日本版』シニアエディターを務めたのち、2009年に独立。『BRUTUS』『GQ JAPAN』『T JAPAN』等のライフスタイル誌で編集・執筆に携わる一方、2011年の『WIRED』日本版のリブートに際し立ち上げから参画。2020年、「WIRED Sci-Fiプロトタイピング研究所」所長就任。2023年、『WIRED』日本版エディター・アット・ラージ就任。

Sansan株式会社

寺田親弘　代表取締役社長／CEO（Chief Executive Officer）
富岡 圭　取締役／執行役員／COO（Chief Operating Officer）
塩見賢治　取締役／執行役員／CISO（Chief Information Security Officer）／
DPO（Data Protection Officer）／技術本部 本部長
大間祐太　取締役／執行役員／CHRO（Chief Human Resources Officer）
橋本宗之　取締役／執行役員／CFO（Chief Financial Officer）
田邉 泰　執行役員／CBO（Chief Brand Officer）／CIO（Chief Information Officer）
林 佑樹　執行役員／CBDO（Chief Business Development Officer）
池上光一　執行役員／コーポレート本部 総務法務部 部長
室 健　執行役員／CCO（Chief Communication Officer）
芳賀諭史　技術本部 データ戦略部 部長

SF作家

藤井太洋
高山羽根子
倉田タカシ

WIRED Sci-Fiプロトタイピング研究所

小谷知也　『WIRED』日本版Editor at Large／
WIRED Sci-Fiプロトタイピング研究所所長
松島倫明　『WIRED』日本版編集長
伊藤直樹　PARTY Chief Creative Officer／Founder

衣笠雄一郎　『WIRED』日本版発行人
富塚 亮　『WIRED』日本版アートディレクター

中山裕之
岡田弘太郎
淺田史音

眞鍋海里
和田夏実
野口理恵

本書はSansan株式会社と
WIRED Sci-Fiプロトタイピング研究所が
下記の日程にて実施したSFプロトタイピングの
オリジナルプログラムを書籍化したものです。

第1回【準備】 2022年1月27日オンライン開催
第2回【準備】 2022年2月2日オンライン開催
第3回【仮説】 2022年3月30日オフライン開催
第4回【科幻】 2022年3月30日オフライン開催
第5回【科幻】 2022年6月8日オフライン開催
第6回【科幻】 2022年7月12日オフライン開催
第7回【科幻／収束】 2022年9月1日オフライン開催
第8回【収束】 2022年11月1日オフライン開催
第9回【収束】 2022年12月22日オフライン開催
第10回【収束】 2023年1月12日オフライン開催

エディトリアル

編集　小谷知也、野口理恵（rn press）
マンガ　北村みなみ
イラスト　服部あさ美
写真　吉松伸太郎
装丁　富塚 亮（OAK）

# 未来の「奇縁」はヴァースを超えて

## 「出会い」と「コラボレーション」の未来をSFプロトタイピング

2023年7月28日 第1刷発行

著者　藤井太洋、高山羽根子、倉田タカシ、Sansan株式会社、WIRED Sci-Fiプロトタイピング研究所

発行人　衣笠雄一郎
編集人　小谷知也

発行　コンデナスト・ジャパン
〒150-0002 東京都渋谷区渋谷2-11-8
大菅ビルディング7階
TEL 03-5485-8751(WIRED編集部)

発売　株式会社プレジデント社
〒102-8641 東京都千代田区平河町2-16-1
TEL 03-3237-3731

印刷・製本　凸版印刷株式会社

ISBN978-4-8334-4132-2

Category

ミラーワールド／メタヴァース

Subject

「触覚」も含めたプレゼンスの
移動が可能に

Note

触覚を再現したり、転送するデヴァイスやセンシング技術が進歩する。視覚や聴覚だけでなく「触覚」なども含めてデジタルデータ化し、遠隔地にいる人と共有できるようになる未来は遠くない。

WIRED Sci-Fi Prototyping LAB

Category

ミラーワールド／メタヴァース

Subject

死者をアヴァターとして再現

Note

故人の3DCGによる再現や、故人と会話できるチャットボットの開発が進んでいる。今後、生前のデータをもとに死者をアヴァターとしてメタヴァースに再現し、その人がもつ知識へのアクセスやコミュニケーションが可能になるだろう。

WIRED Sci-Fi Prototyping LAB

Category

ミラーワールド／メタヴァース

Subject

都市のミラーワールド化

Note

現実の都市や社会のすべてが1対1でデジタルツイン化された鏡像世界であるミラーワールドの利活用が急激に進んでいる。ミラーワールド上に多様な情報を追加でき、ARグラスを通して自分が見たい情報を確認できる未来は遠くない。

WIRED Sci-Fi Prototyping LAB

Category

ミラーワールド／メタヴァース

Subject

アヴァターごとに人格を使い分ける

Note

メタヴァースでは、服を着替えるようにアヴァターを変更できる。メタヴァースでの労働や遊び、経済活動が一般化し、アヴァターごとに人格を使い分けるような分人的な生き方が普及するかもしれない。

WIRED Sci-Fi Prototyping LAB

Cut along the dotted line.

WIRED
Sci-Fi
WIRED Sci-Fi Prototyping LAB
WIRED
Sci-Fi
WIRED Sci-Fi Prototyping LAB
WIRED
Sci-Fi
WIRED Sci-Fi Prototyping LAB
WIRED
Sci-Fi
WIRED Sci-Fi Prototyping LAB

Cut along the dotted line.

Category

社会変化

Subject

「移民」が国内人口のマジョリティに

Note

日本は、世界第4位の移民大国である。ミシェル・ウエルベックが『服従』で、フランスにて穏健イスラーム政権が誕生した「未来」を描いたように、移民の人口がマジョリティとなる未来がくるかもしれない。

WIRED Sci-Fi Prototyping LAB

Category

社会変化

Subject

「貨幣」が消滅する

Note

これまで人々は貨幣を通じて商取引を行なってきたが、貨幣でのやりとりが消滅し、多様な交換様式(物々交換、社会資本、感謝量など)で取引をする未来がくるかもしれない。

WIRED Sci-Fi Prototyping LAB

Category

社会変化

Subject

都市に人々が集中しなくなる

Note

文明はこれまで都市への人口の集積によって発展してきたが、人々の自律分散の暮らしを支えるテクノロジー(オフグリッドなど)が発展した先に、人々が集住しない未来がやってくるかもしれない。

WIRED Sci-Fi Prototyping LAB

Category

社会変化

Subject

エネルギーや食料生産の<br>自動化と「働かない」社会

Note

農業や畜産の自動化や培養肉や完全食など、人工食品の開発が進んでいる。人間が生きていくために必要なエネルギーや食料の生産手段が高度に自動化されていった先に、「働かなくても食っていける」未来がやってくるかもしれない。

WIRED Sci-Fi Prototyping LAB

WIRED

Sci-Fi

WIRED Sci-Fi Prototyping LAB

WIRED

Sci-Fi

WIRED Sci-Fi Prototyping LAB

WIRED

Sci-Fi

WIRED Sci-Fi Prototyping LAB

WIRED

Sci-Fi

WIRED Sci-Fi Prototyping LAB

Category

Web3

Subject

「管理職も中心もない組織」の一般化

Note

DAO（分散型自律組織）の台頭により、会社組織や国家運営において管理職や政治家がいなくなり、既存のヒエラルキーは解体され、ミッションごとに人々が集う新しいコラボレーションの時代がやってくる。

WIRED Sci-Fi Prototyping LAB

Category

Web3

Subject

「偽名」で生きることが一般化

Note

リアル世界での活動は実名とひもづくものの、メタヴァースやWeb3の世界では「偽名（分散化されたアイデンティティ）」を用いることで、アイデンティティは固定化されず、国やプラットフォームに自由を奪われるリスクも減っていく。

WIRED Sci-Fi Prototyping LAB

Cut along the dotted line.

Category

Web3

Subject

企業を「コミュニティ」に
イグジットする時代

Note

Web3に登場した「Progressive Decentralization（斬新的な分散化）」では、人々が求めるプロダクトをつくり、その周辺にユーザーが集まるコミュニティをつくる。最後はプロダクトをコミュニティへとイグジットし、ユーザーをオーナーにする。

WIRED Sci-Fi Prototyping LAB

Category

国家

Subject

「国家」の会社化

Note

カリフォルニア州の独立構想やピーター・ティールらによる海上国家構想のように、新しい国家の影が生まれている。人々が既存国家から脱出し、「国家」が会社のように運営されていく未来がくるかもしれない。

WIRED Sci-Fi Prototyping LAB

WIRED

Sci-Fi

WIRED Sci-Fi Prototyping LAB

Sci-Fi

WIRED Sci-Fi Prototyping LAB

WIRED

Sci-Fi

Sci-Fi Prototyping LAB

WIRED

Sci-Fi

WIRED Sci-Fi Prototyping LAB

Category

国家

Subject

海上新国家の誕生

Note

ピーター・ティールは、どの国も支配しない公海に都市を建設し、独自の暗号通貨が流通する自治政府を設立する計画を進めている。この先には、海上を船のように動く都市も生まれるかもしれない。

WIRED Sci-Fi Prototyping LAB

Category

国家

Subject

世界各国がインターネット
鎖国をした社会

Note

中国が「グレートファイヤーウォール」によりFacebookなどのアクセスを制限したように、今後は世界各国がインターネット鎖国をして、国境を超えた情報のやりとりが不可能になる未来がやってくるかもしれない。

WIRED Sci-Fi Prototyping LAB

Cut along the dotted line.

Category

生命

Subject

人間の平均寿命が200歳に

Note

不老長寿のテクノロジーが進化していけば「人生100年時代」を超えて人間の平均寿命が200歳になるかもしれない。100歳の人が現在の30歳のように振る舞える未来がくるかもしれない。

WIRED Sci-Fi Prototyping LAB

Sci-Fi

Category

生命

Subject

「安楽死」の合法化

Note

現在「安楽死」を法的に認めている国としてスイスやオランダが挙げられる。今後世界のあらゆる国で「安楽死」が合法化され、人生設計のひとつの選択肢として常識化するかもしれない。

WIRED Sci-Fi Prototyping LAB

Sci-Fi

WIRED
Sci-Fi
WIRED Sci-Fi Prototyping LAB
WIRED
Sci-Fi
WIRED Sci-Fi Prototyping LAB
WIRED
Sci-Fi
WIRED Sci-Fi Prototyping LAB
WIRED
Sci-Fi
WIRED Sci-Fi Prototyping LAB

Category

コミュニケーション

Subject

異文化間の自動翻訳が可能に

Note

「自動翻訳」の精度は日々進歩している。あらゆる言語をリアルタイムに、かつ精度高く翻訳してくれるのみでなく、文化的背景や価値観までも翻訳し、やりとりをチューニングしてくれるテクノロジーが登場するかもしれない。

WIRED Sci-Fi Prototyping LAB

Category

コミュニケーション

Subject

動植物との言語コミュニケーションが可能に

Note

犬や猫、クジラや鳥といった動物たちの言葉を翻訳する試みが多く見られるようになった。一般人でも彼らの言葉をリアルタイムに聞き分けられるマシンが登場し、会話できる未来がくるかもしれない。

WIRED Sci-Fi Prototyping LAB

Cut along the dotted line.

Category

日常

Subject

人工知能の「カーム・テクノロジー」化

Note

「AI（人工知能）は電気のように日常を流れる」とケヴィン・ケリーが語ったように、高度に発展したテクノロジーは「使いづらさ」あるいは「使いやすさ」さえも特別に意識させることなく、人々の暮らしに当たり前のように深く溶け込む「カームテクノロジー」となる。

WIRED Sci-Fi Prototyping LAB

Category

宇宙

Subject

月や火星へのテラフォーミングが進む

Note

人類の生存拠点を拡張するべく、太陽系などにある天体を改造し、人類が安住できる環境につくり変える「テラフォーミング」。こうした技術を用いて月や火星という新しいフロンティアに人類は入植していくかもしれない。

WIRED Sci-Fi Prototyping LAB

WIRED

Sci-Fi

WIRED Sci-Fi Prototyping LAB

WIRED

Sci-Fi

WIRED Sci-Fi Prototyping LAB

WIRED

Sci-Fi

WIRED Sci-Fi Prototyping LAB

WIRED

Sci-Fi

WIRED Sci-Fi Prototyping LAB